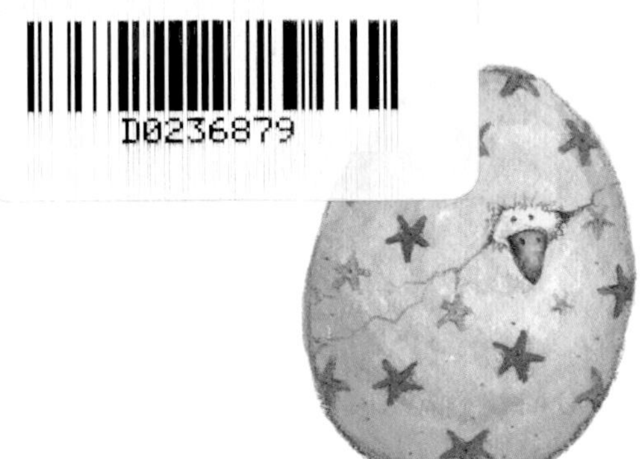
D0236879

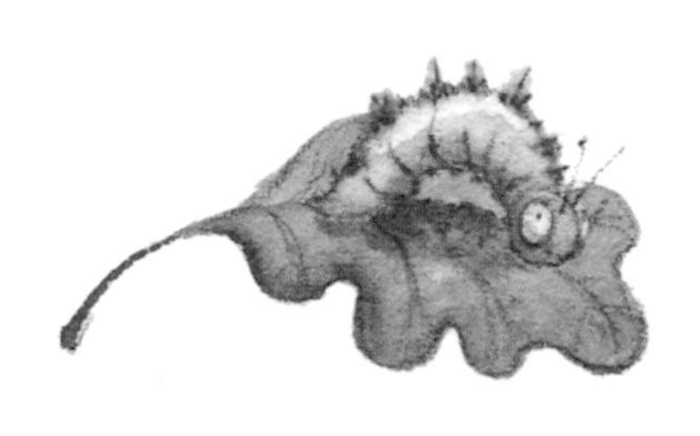

# Ar hyd y Flwyddyn

# Ar hyd y Flwyddyn

CASGLIAD O STRAEON A CHERDDI

*Lluniau gan Fran Evans*

Gomer

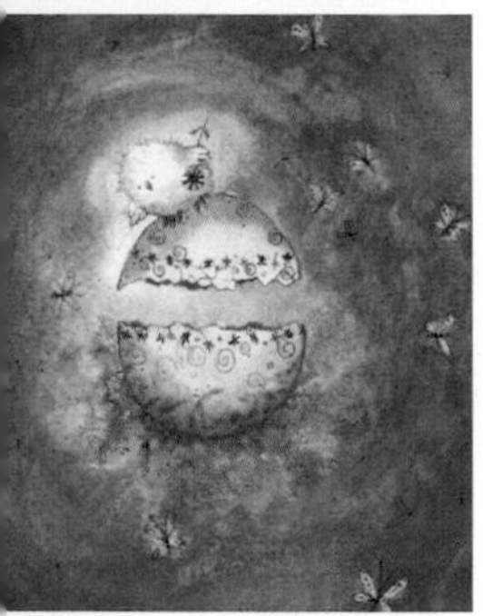
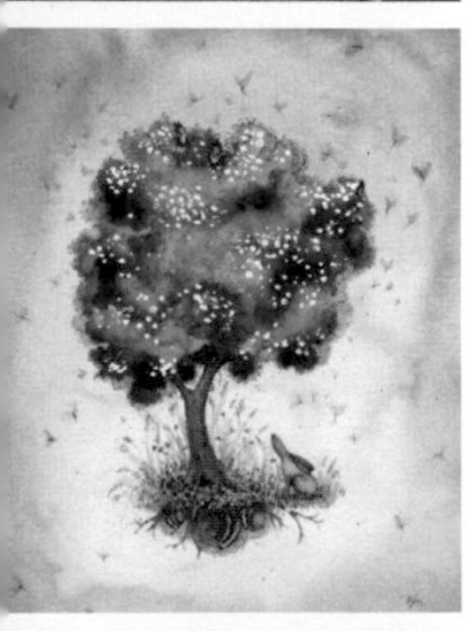

# Cynnwys

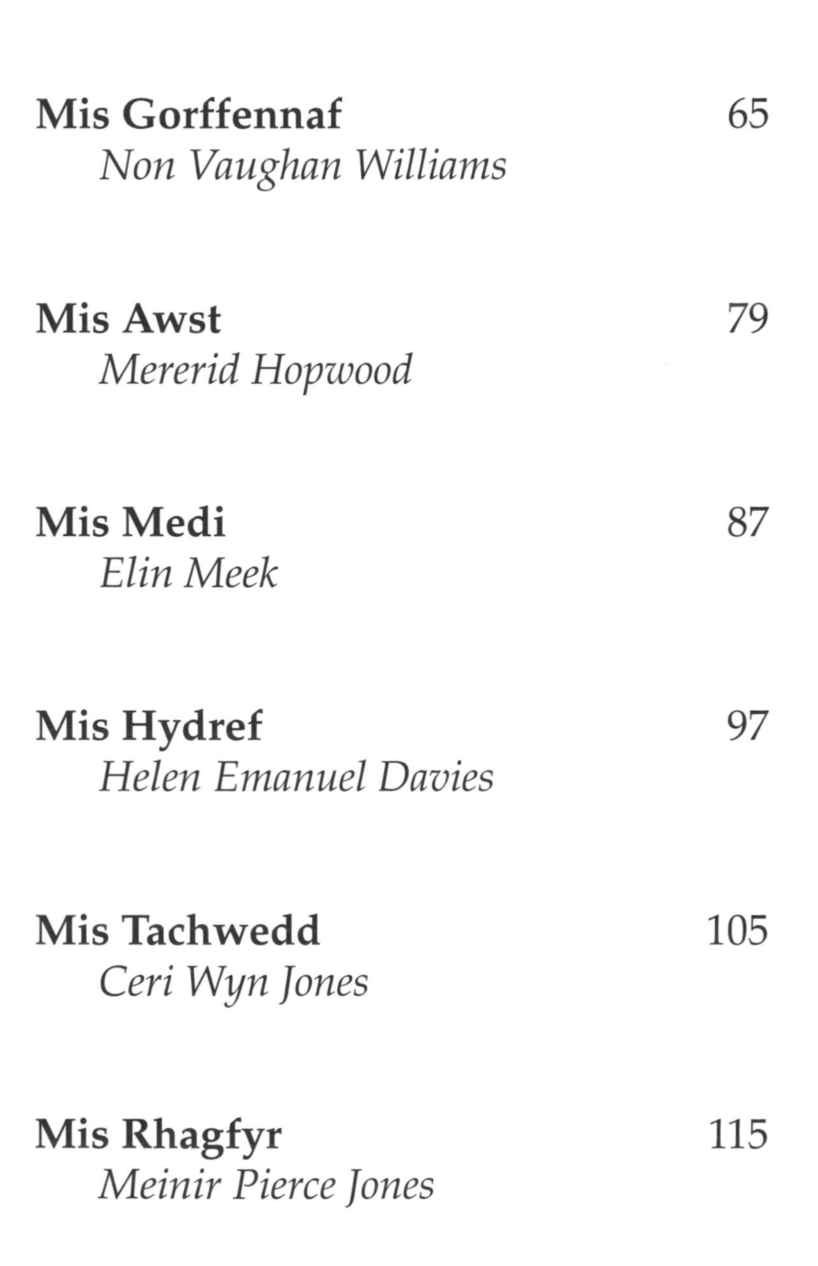

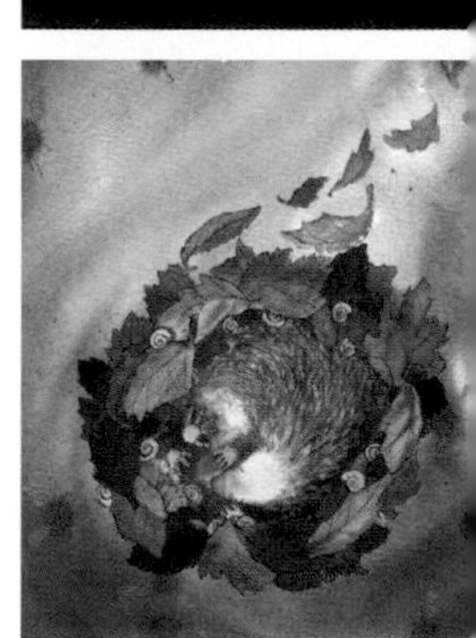

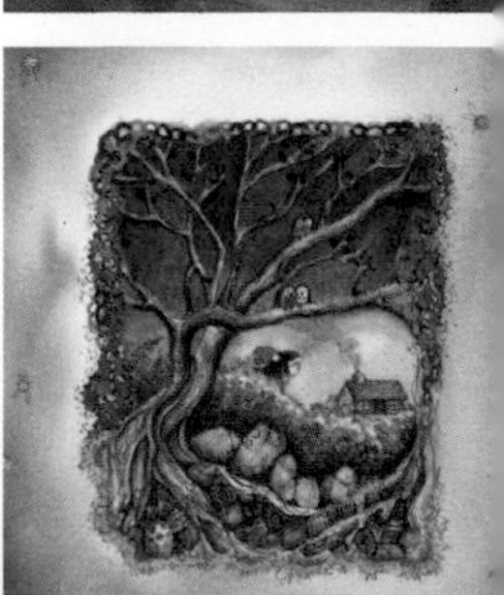

# Ionawr

# Plu Eira

Plu eira ydym ni
Yn disgyn ar bob tŷ –
Yn troi a throi a throi a throi,
Plu eira ydym ni!

Dyma'r geiriau oedd wedi bod yn llenwi pen Dafydd er pan ddeffrôdd ben bore. Roedd e'n gwybod fod rhywbeth yn wahanol pan wthiodd ei drwyn bach pwt allan o dan gwilt ei wely. Er ei bod hi'n dal yn dywyll, roedd hi'n olau hefyd, rywfodd. Gwyddai Dafydd nad golau'r lleuad oedd yn sleifio heibio'r plygiadau yn y llenni. Golau gwyn, llachar oedd hwnnw. Nid golau'r haul oedd yno chwaith. Roedd hwnnw, fel Lisa'i chwaer, yn fwy araf yn codi'n y bore ganol gaeaf fel hyn. Na, roedd y golau hwn yn fwy niwlog a glas, yn dawnsio ar do ei ystafell wely ac yn goglais ei lygaid ar agor.

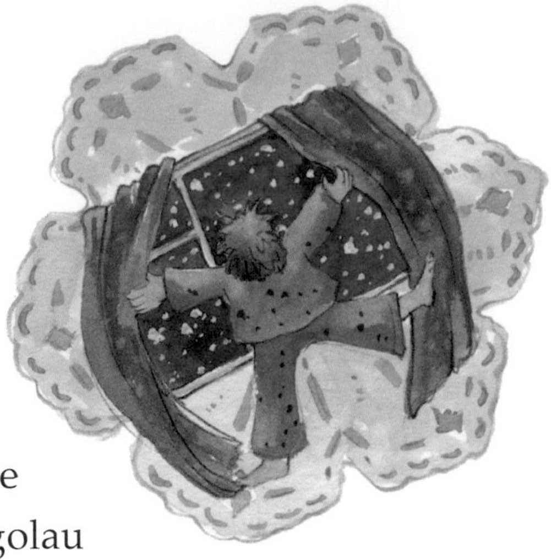

Dyna pam roedd Dafydd wedi neidio ar ei draed yn sydyn a rhuthro draw at y ffenest. Tynnodd y llenni'n llydan agored.

'Hwrê!' gwaeddodd. 'Hwrê! Hwrê! Hwrê!' Neidiodd i ben y gwely a dechrau bownsio i fyny ac i lawr fel pêl. 'Hip-hip-hwrê! Hip-hip-hwrêêêê!'

'Caton pawb, Dafydd! Beth yn y byd sy'n bod?'

Mam oedd yno, yn dal yn ei phyjamas pinc, ei gwallt yn ffluwch a'i llygaid yn fach. Safai'n swp yn nrws ei ystafell wely.

'Edrych, Mam!' sgrechiodd Dafydd gan bwyntio allan drwy'r ffenest yn llawn cyffro. Rhwbiodd Mam ei llygaid yn syn. Erbyn hynny, roedd Lisa, ei chwaer, hefyd wedi llusgo'i hun draw i weld beth oedd achos yr holl halibalŵ.

'EIRA! Mae hi wedi bod yn bwrw EIRA!'

A gwir y gair. Roedd blanced drwchus o eira disglair tu allan dros bob man. Ac yn fwy na hynny, roedd hi'n dal i fwrw eira – roedd cannoedd ar

filoedd o sêr bach rhewllyd yn disgyn yn dawel o'r awyr o hyd.
'Wel dyma ti wedi cael dy ddymuniad o'r diwedd 'te, Dafydd bach!' meddai Mam.

Er ei fod yn saith oed, dyma'r tro cyntaf i Dafydd brofi eira go iawn. Wrth gwrs, roedd wedi gweld digon o eira mewn mannau eraill – ar y newyddion ar y teledu, ar y cardiau Nadolig y bu'n helpu Mam i'w rhoi i gadw yr wythnos cynt, a hyd yn oed ar wal ei ystafell ddosbarth, lle'r oedd Miss Morris a gweddill plant Blwyddyn Un wedi bod yn torri siapiau plu eira allan o bapur a'u gorchuddio â gliter a gwlân cotwm cyn eu sticio yn eu lle. Ond doedd hynny ddim yn cyfri. Wedi'r cwbwl, nid eira go iawn oedd hwnnw. Nid eira y gallai Dafydd ei deimlo'n oer ar ei groen na'i wasgu'n beli a'u taflu i bob man.

Aeth i'w wely sawl tro'n llawn cyffro wedi i ddyn y tywydd ddweud fod eira ar ei ffordd. Ond am ryw reswm, byddai pob eira wedi hen golli ei ffordd cyn cyrraedd Gelli-wen. Roedd Rhys, ei ffrind gorau, yn swnian byth a hefyd am y sbort yr oedd ef a Catrin ei chwaer yn ei gael wrth fynd ar eu sled drwy'r eira ar fferm Blaen-llan. Roedd hyd yn oed Sian-Elin, ei gyfnither fach fusneslyd, wedi cael eira ym Mhentre-celyn, a doedd hi ond yn ddwy flwydd oed! Hyd yn oed pan fyddai eira ymhob pentref a thref arall o'u cwmpas, welodd Dafydd erioed yr un bluen eira'n disgyn gyda nhw yng Ngelli-wen. Gelli-wen, wir! Am enw gwirion ar le oedd byth yn cael eira! Hynny yw, tan heddiw. Sôn am freuddwydion yn dod yn wir!

'Welis! Ble ma'n welis i?' holodd Dafydd yn gyffro i gyd. Daeth rhyw ysfa sydyn drosto. Teimlai na allai aros yn y tŷ am eiliad yn rhagor. Roedd yn rhaid iddo fynd allan.

'Ond Dafydd! Well i ti wisgo gynta . . .'

Ond cyn i Mam orffen siarad, roedd Dafydd yn rhuthro i lawr y grisiau fel petai ei draed ar dân! Brysiodd allan i'r garej i chwilio am ei welis, gan gydio yn ei got gynnes wrth fynd. Gwthiodd ei draed i lawr gyddfau ei esgidiau rwber.

'Ooooooo!' llefodd wrth sylweddoli ei fod wedi anghofio gwisgo sanau! Ond doedd dim amser i'w wastraffu! Rhwbiodd wadnau ei draed yn ei gilydd cyn eu gwthio eto i waelod ei welis Tomos y Tanc. Sipiodd ei got yn dynn gan faglu ei ffordd tua'r drws a'i agor.

'Wîîîîîî!' dechreuodd eto. 'Plu eira ydym ni . . . yn troi a throi a throi a throi . . . plu eira ydym ni!'

A chydag un 'GRENSH' fawr, plannodd Dafydd ei ddwy droed ynghanol y trwch eira oedd tu allan i ddrws y garej. Dyna sioc a gafodd pan ddiflannodd ei draed o dan yr eira, cyn dod i'r golwg eto wrth iddo neidio i fyny ac i lawr gan adael ôl traed bach sbonciog dros bob man.

'Mae hyn yn ff-ff-ff-ffan-tastig!' gwaeddodd Dafydd dros y lle.

'Ffantastig – ffantastig – ffantastig!' atebodd rhyw lais o'r pellter.

Ond doedd neb arall i'w weld.

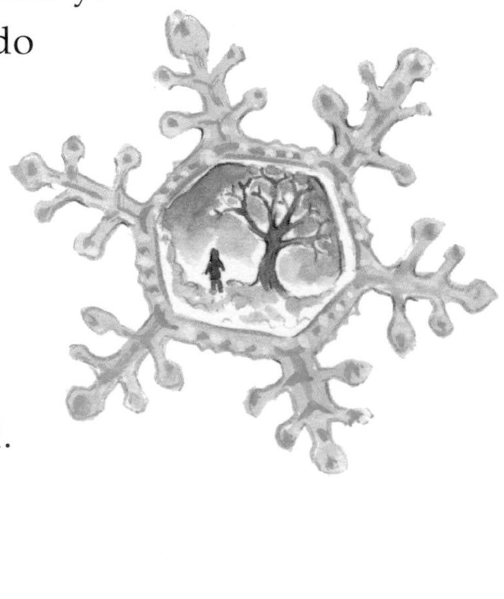

Ac roedd pobman yn dawel eto. Doedd neb o gwbwl i'w gweld ar y stryd, ac roedd hyd yn oed Meri Mew, y gath, wedi diflannu i rywle.

Dawnsiodd Dafydd ei ffordd i'r ardd gefn gan wibio o gwmpas y lle a'i freichiau ar led fel awyren. Gwthiodd ei dafod allan a theimlo plu eira'n ffrwydro'n oer arno a diflannu, cyn iddo gael cyfle i gau ei geg eto. Cymerodd arno fod yn arth eira fawr yn chwilio am fwyd, ond roedd popeth yn edrych yn rhyfedd o dan y flanced o eira gwyn. Roedd mwy o blu'n disgyn ar ei amrannau a'i wallt, ac yn cosi'u ffordd i lawr ei wddf. Dechreuodd droi a throi, a throi a throi, rownd a rownd, nes i'w ben deimlo'n ysgafn – mor ysgafn â phluen.

'Dafydd! Beth yn y byd wyt ti'n ei wneud?'

Daeth llais Mam o ffenest y llofft, nes bod yr eira'n siffrwd oddi ar rai o'r brigau ar y goeden afalau ym mhen draw'r ardd.

Erbyn hynny, roedd Dafydd yn gorwedd ar ei gefn yng nghanol yr eira, a'i freichiau a'i goesau ar led. Roedd gwên fawr ar ei wyneb. Edrychai fel seren oedd newydd ddisgyn o'r awyr uwchben.

'Angel eira ydw i, Mam!'

'Angel eira? Beth yn y byd yw un o'r rheini?'

'Wel . . . wel . . . angel . . . eira!'

Doedd Dafydd ddim yn medru egluro'n well na hynny. Ei ffrind Rhys oedd wedi dweud wrtho, petai Dafydd yn gorwedd ar ei hyd mewn eira ac yn esgus hedfan, y byddai'n gallu gweld angylion eira'n hedfan uwch ei ben!

Ceisiodd agor ei lygaid yn fawr a syllu i fyny i'r awyr. Ond, O! Fedrai Dafydd ddim cadw ei lygaid ar agor! Roedd cymaint o blu bach gwyn yn disgyn o'r awyr, a phob un fel pìn bach yn pigo'i lygaid ynghau.

'Wfft i Rhys!' meddai Dafydd wrth neidio ar ei draed yn siomedig. Yna, cafodd syniad arall.

'Moronen!' meddai. Roedd yn rhaid iddo gael gafael mewn moronen er mwyn gwneud trwyn dyn eira! Ond roedd Dad wedi codi'r moron i gyd o'r ardd yn yr hydref, yr un pryd â'r tatws a'r pannas! Ond cyn iddo gael amser i feddwl mwy, roedd Dafydd ar ei bengliniau'n casglu pelen fawr o eira i'w gôl. Erbyn hynny, roedd blaenau ei fysedd yn dechrau troi'n las, gan eu bod mor oer. Ond doedd Dafydd ddim yn poeni gormod am hynny. Roedd e'n rhy brysur yn palu i lawr drwy'r eira er mwyn gwneud yn siŵr fod gan ei ddyn eira e fol mor fawr ag un Wncwl Meic, brawd ei fam! Nawr am y pen . . . gwasgodd lond llaw o eira'n belen fach galed, cyn dechrau ei rholio drwy'r eira wrth ei draed nes iddi dyfu'n fwy ac yn fwy. Erbyn hynny, roedd yr un maint â phêl-droed, ond yn fwy tebyg i siâp pêl rygbi!

'Grêt!' meddai Dafydd wrth blannu'r pen yn sownd ar gorff ei ddyn eira. Roedd e bron yr un maint â Dafydd ei hun!

'Bydd eisiau'r rhain arnat ti, siŵr o fod.'

Lisa ei chwaer oedd yno, wedi dod â hen gap pig tad-cu, sgarff ac ychydig gerrig mân i Dafydd er mwyn iddo allu gorffen ei gampwaith. Bu bron i Dafydd fethu ag adnabod ei chwaer, gan ei bod yn got a menig a chap a sgarff i gyd.

'Mae'n dal i edrych braidd yn od!' meddai Dafydd wedi gosod popeth yn eu lle ar y dyn eira.

'W!' meddai Lisa eto. 'Bron i mi anghofio!' Ac estynnodd y foronen fwyaf a welodd Dafydd yn ei fywyd iddo. Cydiodd Dafydd ynddi'n frwd a'i gwthio'n ofalus i ganol wyneb ei ddyn eira.

'O leia fydd ddim rhaid i ni feddwl am enw iddo fe!' meddai Lisa.

'Beth?' holodd Dafydd.

'Enw i'r dyn eira,' meddai Lisa eto. 'Gyda thrwyn fel yna, mae'n edrych yn union fel Pinoccio!' A dyma'r ddau'n dechrau chwerthin dros y lle.

Erbyn hynny, roedd Mam a Dad wedi llwyddo i lusgo'u hunain allan i'r ardd gefn hefyd. Neidiodd Dafydd i freichiau Dad yn llawn cyffro.

'Mae'n edrych yn arbennig, Dafydd bach,' meddai Dad.

Plygodd Mam draw ato a rhoi cusan ar foch ei mab. 'Ond Dafydd bach, rwyt ti'n teimlo fel talpyn o rew!' sgrechiodd wrth i Dafydd roi ei freichiau am ei gwddf. 'Does ond un peth amdani, felly,' meddai Mam yn frwd. 'Diod o siocled poeth i bawb!'

'Hwrê!' llefodd pawb, ac i ffwrdd â nhw am y tŷ. Dafydd oedd yr olaf i gyrraedd, serch hynny, am iddo aros am dipyn i gasglu llond poced o eira i'w gadw, rhag ofn na welai eira fyth eto!

Erbyn i'r tegell ferwi ar gyfer y siocled poeth, roedd Dafydd yn gorwedd yn belen o flaen tân y gegin yn chwyrnu'n braf, gwên lydan ar ei wyneb, a phwll bach o ddŵr yn dechrau diferu o waelod ei got.

'Dyma dy angel eira di, Mam!' meddai Dad, gyda winc, wrth i bawb chwerthin yn braf.

*Sioned Lleinau*

Chwefror

# BACH

Bach ydy'r dryw sydd yn gân i gyd,
Bach ydy'r aur sy'n y fodrwy ddrud,
Bach ydy'r wên sydd yn werth y byd.

Bach ydy'r sŵn sy'n gwneud inni ddihuno,
Bach ydy'r nant sy'n barod i lifo,
Bach ydy'r gair sy'n gwneud inni gofio.

Bach ydy ffraeo sydd rhwng cariadon,
Bach ydy'r lle sydd ym mhwll y galon –
Mor fach, mor fach, ond mae eto'n hen ddigon.

Bach ydy ceiniog o'i chymharu â'r punnoedd,
Bach yw mis Chwefror ynghanol y misoedd,
Mor fach, mor fach, ond mae'n para am hydoedd . . .

# ChChChCh . . .

Chwefror,
chwarae,
rhew yn chwipio.

Chwa
o wynt
a chwifio dwylo.

Chwysu,
chwythu
a charlam chwim.

Chwerthin,
chwerthin
ar ben bob dim.

# Chwefror yw . . .

Chwefror yw . . .
chwifio cynffonnau ŵyn bach
a rhewi'n gorn yn yr awyr iach.

Chwefror yw . . .
deffro, a'r bore mor wyn
a chofio lapio'r holl ddillad yn dynn.

Chwefror yw . . .
eirlys yn torri drwy'r tir
a disgwyl yr amser i'r dydd droi yn hir.

Chwefror yw . . .
bwydo'r holl adar bach mân,
a swatio yn gynnes o amgylch y tân.

Chwefror yw'r
mis lle mae popeth yn dda:
mae'r gaeaf tu ôl, ac ymlaen y mae'r ha'.

# Tywydd

Mae'n arw, mae'n bwrw,
Mae'n stormus i gyd;
Mae'n hindda, mae'n eira,
Mae'n niwlog o hyd.

Mae'n heulog, mae'n lawog,
Mae'n glir dan y lloer;
Mae'n genllysg, mae'n gymysg,
Mae'n boeth ac yn oer.

Mae'n gaddug, mae'n farrug,
Mae tarth hyd y tir . . .
O dywed pa dywydd
Sy'n galon y gwir?

# Y Sleid Eira

Haul y gorwel yn felyn,
Bore'n lân a'r eira'n wyn.
Y Robin yn gweiddi'n goch
A'r rhew yn oeri drwoch.
Awyr las dros ddinas ddu
A'r rhai hynaf yn rhynnu!

Ond y rhai iau'n mynd am dro
Yn eu lifrai i sglefrio;
Gwneud sled o goed cyffredin
A rhaffau a bagiau bin.
Megaphobia'r eira yw,
A sleid fel tinsel ydyw.

Aros ni wnaeth yr eira,
Llawr o ddŵr sy lle'r oedd iâ;
Mae'r sleid brynhawn yn llawn lli
A dadmerwyd y miri.
Wedi'r awr o fynd am dro,
Y criw a'r eira'n crio.

# Chwefror 29

Mae 'na ddiwrnod sy'n chwarae cuddio
Eto eleni,
Rhwng Chwefror yr wythfed ar hugain
A Dydd Gŵyl Dewi.

Mae pawb trwy'r byd yn gwybod
Ei fod yno,
Ond mae'n un sy'n dal i fynnu
Chwarae cuddio.

Mae'n aros yn fud a thawel
Er pob galw,
A gadael i'r dyddiau eraill
Gael y sylw.

Dim ond unwaith bob pedair blynedd
Daw i'n synnu,
Gan weiddi i ddangos ei wyneb
Cyn diflannu.

*Tudur Dylan Jones*

Mawrth

# Dathlu Dwbwl

## *Dyddiadur Dewi*

*Mawrth 1af*

Hwrê! Mae'n Ddydd Gŵyl Dewi – a dydd fy mhen-blwydd i a Non. Rydyn ni'n saith oed heddiw!

Pen-blwydd hapus i ni!
Pen-blwydd hapus i ni!
Pen-blwydd hapus, Non a Dewi!
Pen-blwydd hapus i ni!

Fe gawson ni feiciau newydd, sgleiniog oddi wrth Mam a Dad. Un du i fi, ac un pinc i Non. Pinc! Ych y pych! Rydyn ni am gael parti y prynhawn 'ma, ac mae pawb yn y dosbarth yn cael dod.

Bydd cyffro yn yr ysgol heddiw wrth i ni dathlu Dydd Gŵyl Dewi. Dyna hwyl pan fydd y merched i gyd yn gwisgo gwisg Gymreig – a ninne'r bechgyn mewn crys coch tîm rygbi Cymru.

Mae Non yn strytian o gwmpas yn ei gwisg Gymreig yn barod – ac yn meddwl ei bod hi'n grêt. Fe biniodd Mam genhinen fawr werdd o ardd Dad-cu ar fy nghrys i. W! Mae'n arogli'n dda. Falle y bydda i wedi'i bwyta hi erbyn amser chwarae.

Rwy'n teimlo'n lwcus iawn mod i wedi cael fy enwi ar ôl Dewi Sant, achos bod fy mhen-blwydd ar Ddydd Gŵyl Dewi. Nawdd Sant Cymru yw Dewi. Roedd e'n ddyn da iawn oedd yn byw amser maith yn ôl yn Sir Benfro.

## *Dyddiadur Non*

*Mawrth 2*

Fe gafodd Dewi a fi barti pen-blwydd ffantastig ddoe a llond trol o anrhegion. Fe fwytodd Dewi gymaint o hufen iâ nes iddo fynd yn swp sâl a gorfod mynd i'r gwely'n gynnar! Ond mae e'n llawn sŵn erbyn heddiw eto.

Gan ei bod hi'n ddydd Sadwrn fe aeth Dad a Mam â Dewi a fi am dro yn y car ar ôl brecwast. Fe drodd Dad drwyn y car i'r dde ar waelod ein lôn ni, a chyn bo hir gallem weld mynyddoedd y Preseli yn ymestyn o'n blaenau. Roedden ni ar ein ffordd i Dyddewi! Roedd hi'n hen bryd i ni wybod pam gawson ni ein henwau, meddai Dad. Ond ry'n ni'n gwybod hynny'n barod. Fe gafodd Dewi ei enwi ar ôl ein Nawdd Sant – ond dydy e ddim yn sant o gwbl! Roedd hi'n gwneud synnwyr i roi enw mam Dewi Sant, sef Non, i mi. Roedd hithe hefyd yn santes.

Dinas yw Tyddewi. Ond mae'n anodd credu hynny gan fod y lle mor fach – yn llawer iawn llai na Chaerdydd. Ond roedd yr Eglwys Gadeiriol yno'n anferth, heb sôn am fod yn hen ac yn hardd iawn.

Mae Mam yn hoff iawn o hanes. Hi ddywedodd mai dyn da iawn oedd Dewi Sant a'i fod e'n hoffi yfed dŵr. Dw i'n atgoffa Dewi o hynna pan fydd e'n llowcian cola a phop, ond waeth i fi heb â thrafferthu. Roedd Dewi Sant yn ddyn bach byr, meddai Mam – yn union fel Dad! Un o fy hoff storïau am Dewi yw'r un amdano'n pregethu wrth dyrfa anferth o bobl un diwrnod pan ddisgynnodd colomen wen o'r nefoedd ar ei ysgwydd. Doedd y dyrfa ddim yn gallu gweld Dewi am ei fod e mor fyr, ond fe roddodd rhywun hances boced ar y llawr o dan ei draed ac fe gododd y ddaear yn fryn oddi tano! Roedd pawb yn gallu'i weld e wedyn! Gwyrth maen nhw'n galw rhywbeth fel'na. Dw i wedi trio, ond dydy e ddim wedi gweithio i fi. Mae'n rhaid nad ydw i'n berson digon da.

*Mawrth 9*

Dydd Sadwrn eto, ac fe aeth Mam a Dewi a fi am dro i'r parc. Roedd hi'n andros o wyntog, a'r carped o gennin Pedr a saffrwm gwyn a phorffor yn dawnsio'n braf yn yr awel. Roedd y coed yn ysgwyd a'r cymylau'n saethu ar draws yr awyr. Gwyntoedd Mawrth, meddai Mam. Mae Mawrth wedi dod i mewn fel llew, dan ruo a gweiddi, meddai hi. Ond roedd hynny'n gwneud Dewi a fi'n hapus am i ni gael barcud yr un oddi wrth Anti Lowri ar ein pen-blwydd. O! Dyna hwyl a sbri gawson ni yn eu hedfan nhw! Roedden nhw'n troi a chwyrlïo, a'u cynffonnau'n chwifio'n wyllt yn yr awyr. Bu bron i Dewi golli ei farcud e wedi iddo ei hedfan yn rhy agos i ganghennau coeden fawr!

## *Dyddiadur Dewi*

*Mawrth 17*

Diwrnod arall o ddathlu! Y tro hwn mae'n Ddydd Gŵyl Sant Padrig, Nawdd Sant Iwerddon. Trueni na faswn i'n byw yn Iwerddon gan ei bod hi'n ddiwrnod o wyliau yno a phawb yn gorymdeithio drwy'r strydoedd yn gwisgo lliw gwyrdd a'r samrog. Ond dydy'r samrog ddim mor hardd â chenhinen Bedr. Dydy e ddim yn flodyn, gan mai dim ond tair deilen fel dail meillion sydd iddo.

Mae 'na hanes fod Sant Padrig wedi danfon pob neidr allan o Iwerddon gyda ffon fawr, a does dim nadredd yno hyd heddiw. Dw i'n siŵr fod y Gwyddelod yn falch o hynny!

*Mawrth 21*

Y bore 'ma fe ddwedodd Dad mai heddiw yw diwrnod cynta'r Gwanwyn. Cyhydnos y Gwanwyn yw'r enw arno, medde fe. Doeddwn i ddim yn deall yn iawn beth oedd e'n feddwl, ond fe wnaeth ei orau i egluro. Mae'r ddaear yn cymryd blwyddyn gyfan i deithio o gwmpas yr haul, meddai Dad, ac ar y diwrnod yma, bob blwyddyn, mae'r haul uwchben y Cyhydedd – sef y llinell sy'n mynd o amgylch canol y ddaear. Heddiw mae pawb ym mhob gwlad a thref a phentref yn y byd yn cael 12 awr o ddydd a 12 awr o nos. Cyn bo hir, meddai Dad, mi fydd y dydd yn para'n hirach na'r nos. Grêt! Fe ga i chwarae allan yn hwyr ar y beic wedyn!

## *Dyddiadur Non*

*Mawrth 31*

Mae pobl fawr yn gwneud pethau rhyfedd iawn weithiau!

Neithiwr fe aeth Dad o gwmpas y tŷ a throi pob cloc ac oriawr awr ymlaen – hyd yn oed ar y ffwrn a'r peiriant fideo a'r car. Pan ddeffrôn ni'r bore 'ma roedd hi'n wyth o'r gloch yn lle saith o'r gloch! Doedd hynny ddim yn deg o gwbl, gan ein bod ni wedi colli awr gyfan o gwsg. Gofynnais i Mam pam oedd rhaid potsian â'r clociau o gwbwl? Er mwyn i ni gael mwy o oriau o olau dydd yn yr haf, meddai hi. Ond fe addawodd y byddem yn cael awr yn fwy o gwsg ym mis Hydref, pan fydd y clociau'n mynd 'nôl eto. Mae'r holl beth yn fy nrysu i'n lân.

Ar ôl cinio fe aethon ni am dro i fferm Anti Lowri ac Yncl Harri. Roedd hi'n ddiwrnod cynnes, braf. Roedd 'na ŵyn bach ar y fferm. Maen nhw mor annwyl a digri yn prancio a neidio o gwmpas. Fe lwyddodd Dewi i ddal un ohonyn nhw ac fe fuon ni'n dau yn ei fwytho a'i anwesu. Roedd gwlân ei got yn feddal braf a'i wyneb bach e mor dlws. Roeddwn i am fynd ag e adre gyda fi, ond fe ddwedodd Dad 'Na' yn bendant iawn.

Roedd gan Yncl Harri sypreis i ni ar waelod y cae. Yno yn y llyn roedd cannoedd o benbyliaid bach du yn nofio! Cyn bo hir mi fyddan nhw'n troi yn frogaod. Mae'n well gen i benbwl na broga unrhyw ddydd! Penderfynodd Dewi wthio'i law i'w canol, a bu bron iddo syrthio dros ei ben i'r dŵr pan ddechreuodd y brain grawcian yn swnllyd uwch ei ben. Roedden nhw'n brysur yn nythu yn y coed ac yn gwneud andros o sŵn. Roedd yn rhaid i mi roi 'nwylo dros 'y nghlustiau.

Os ydy'r brain yn nythu'n uchel yn y coed, mae hynny'n arwydd o haf da, meddai Yncl Harri – ac mi roedden nhw!

Mae mis Mawrth wedi hedfan heibio. Mae hi'n fis Ebrill fory. Dw i'n mynd i godi'n gynnar i chwarae jôc ffŵl Ebrill ar Dewi cyn iddo gofio pa ddiwrnod yw hi!

*Eiry Palfrey*

Ebrill

# Wy Arbennig Byffalo Bach

Roedd hi'n ddiwrnod yr helfa wyau yn y Parc Bywyd Gwyllt. Drwy'r dydd roedd y plant wedi bod wrthi'n brysur yn hel wyau Pasg dan y llwyni ac yn y gwair. A thrwy'r dydd roedd anifeiliaid y parc wedi bod yn swatio'n dawel ac yn sbecian rhwng y dail.

Dyma helfa wyau gyntaf Byffalo Bach. Roedd e wrth ei fodd gyda'r wyau Pasg. Doedd e erioed wedi gweld y fath bethau disglair o'r blaen.

'Mae wy glas draw fan'na,' brefodd yn gyffrous. 'Mae e'n wincio a disgleirio yn ymyl y llyn.'

'Sh!' sibrydodd Llygoden. 'Paid â thynnu sylw, Byffalo Bach. Os bydd wyau ar ôl ar ddiwedd y dydd, *ni* fydd yn eu cael nhw.' A dyma hi'n estyn ei thrwyn ac yn cuddio'r wy glas yng nghanol y brwyn.

O'r diwedd, disgynnodd yr haul tuag at frigau uchaf y coed. Aeth y plant i gyd adre â'u basgedi'n llawn o wyau disglair. Am funud fach roedd pobman yn dawel . . . Ac yna daeth sŵn siffrwd a sgrialu o bob cornel o'r parc.

Gwibiodd y llygoden i ganol y brwyn a chnoi'r wy glas.

Cripiodd y draenog o'i nyth a chodi wy smotiog i'w geg.

Gorweddodd y mochyn daear ar ei gefn a jyglo wy streipiog ar ei bawennau.

A dyma Byffalo Bach yn rhedeg fel y gwynt tuag at wy mawr melyn hardd oedd yn gorwedd yng nghysgod llwyn o ddrain.

Clec!

Crensh!

'WWWW!'

Dyna sŵn!

Llyncodd Llygoden ddarn mawr o siocled yn grwn a sbecian drwy'r brwyn.

Gwelodd hi goes flewog, ddu. Yn sownd wrth y goes roedd carn mawr llwyd. Ac yn sownd wrth y carn roedd stwnsh brown a melyn.

'O-o!' ochneidiodd Llygoden. 'Mae Byffalo Bach wedi damsgen ar ei wy.'

Cripiodd allan o'r brwyn a llyfu'r siocled oddi ar ei garn.

'Mmm,' meddai. 'Mae'r siocled yn iawn, Byffalo Bach. Galli di fwyta'r siocled.'

'Dw i ddim eisiau bwyta'r siocled,' brefodd Byffalo Bach. 'Dw i eisiau wy disglair.'

Hedfanodd Pioden i lawr o'r goeden a phigo darn o bapur melyn o ganol y stwnsh.

'Dyma ddarn bach o bapur sgleiniog i ti,' meddai.

Edrychodd Byffalo Bach ar y darn. Roedd e'n fach ac yn grychlyd a doedd e ddim yn ddisglair o gwbl. Ysgydwodd ei ben yn siomedig.

'M . . . m . . . mae . . . mmm . . . wy arall draw fan'na,' meddai Draenog â'i geg yn llawn. Pwyntiodd ei drwyn hir tuag at wy serennog oedd wedi rholio i mewn i'r ffos.

'Diolch, Draenog!' Carlamodd Byffalo Bach ar ras tuag at yr wy.

'Ara deg!' gwaeddodd yr anifeiliaid.

Caeon nhw'u llygaid yn dynn a gwasgu'u pawennau dros eu clustiau gan ddisgwyl clywed Clec! Crensh! 'W-wwwww!' Ond chlywson nhw ddim byd. Roedd Byffalo Bach wedi arafu mewn pryd. Pan agoron nhw'u llygaid, roedd Byffalo Bach yn cerdded yn ofalus at y llyn gyda'r wy yn ei geg.

Byffalo dŵr oedd Byffalo Bach. Roedd e wrth ei fodd yn swatio'n y dŵr esmwyth, meddal.

'Helô, Byffalo Bach,' galwodd Dwrgi wrth i Byffalo Bach gamu'n ofalus i'r llyn.

Ddwedodd Byffalo Bach ddim gair.

'Helô, Byffalo Bach,' galwodd Dwrgi eto.

A dyma Byffalo Bach yn agor ei geg i ddweud helô.

'H–' meddai.

Ar unwaith fe deimlodd e rywbeth yn rholio dros ei dafod ac yn disgyn – plop! – i waelod y llyn.

'O na!' meddai'r anifeiliaid ar y lan. 'Mae Byffalo Bach wedi gwastraffu wy arall!'

Ond plymiodd Dwrgi i waelod y llyn. Chwiliodd yn y mwd a'r baw nes cael gafael yn yr wy, yna gwibiodd yn ôl i'r wyneb.

'W-wwww!' brefodd Byffalo Bach, pan welodd e'r peth brown yng ngheg Dwrgi. 'Wwwww! Mae'r wy'n frwnt ac mae e'n dechrau toddi.'

Edrychodd yr anifeiliaid eraill ar ei gilydd.

'Mae 'na wy arall draw fan'na,' sibrydodd Mochyn Daear drwy'i bawen.

'Oes, ond paid â dweud wrth Byffalo Bach,' meddai Cwningen drwy'i dannedd. 'Mae Byffalo Bach yn difetha wyau.'

'Mae e'n rhy fawr,' meddai Draenog.

'Mae e'n rhy lletchwith,' meddai Mochyn Daear.

'Mae e'n rhy hoff o'r dŵr,' meddai Pioden.

'Felly rhaid i ni gael wy arbennig i Byffalo Bach,' meddai Llygoden. 'Wy sy'n gallu symud o'i ffordd.'

'Wy Pasg sy'n gallu symud?' meddai'r anifeiliaid yn syn. 'Amhosib!'

Ond winciodd Llygoden a sibrwd yng nghlust pob un. Yna fe alwodd hi ar Byffalo Bach.

'Byffalo Bach,' meddai. 'Dere 'ma. Mae gyda fi wy i ti.'

'Wy i fi?' meddai Byffalo gan redeg allan o'r dŵr a sblasio pawb. 'Ble mae e?'

'Dilyn fi,' meddai Llygoden.

Arweiniodd Llygoden y ffordd ar draws y cae nes dod at lwyn o ddanadl poethion ym môn y clawdd.

'Mae'r wy fan hyn,' meddai Llygoden.

'Wwwww!' meddai Byffalo Bach a gwthio'i ben at y clawdd i nôl yr wy.

'Stop!' gwichiodd Llygoden gan wasgu'i phawen ar ei drwyn. 'Wy arbennig yw hwn, Byffalo Bach. Alli di ddim tynnu'r wy yma o'r clawdd. Rhaid i ti aros i'r wy ddod allan atat ti.'

'Wwww?' meddai Byffalo Bach a'i lygaid fel soseri. Sbeciodd i mewn i'r clawdd, ond welodd e ddim byd ond smotiau bach gwyn ar y dail. 'Ydy'r wy'n ddisglair?' gofynnodd.

'Ydy,' meddai Llygoden.

'Fe wna i aros 'te,' meddai Byffalo Bach.

Aeth Llygoden i ffwrdd, ond arhosodd Byffalo Bach.

Arhosodd e am un awr, ond ddaeth yr wy ddim allan.

Arhosodd e am un diwrnod, ond ddaeth yr wy ddim allan.

Arhosodd e am un wythnos. Ar ddiwedd yr wythnos fe welodd e bethau bach du yn symud ar hyd y dail.

Arhosodd e am bythefnos arall. Ar ddiwedd y pythefnos fe welodd e bethau bach brown yn hongian o'r dail.

Arhosodd e am dair wythnos. Ar ddiwedd y drydedd wythnos roedd Byffalo Bach wedi blino aros.

'Mae Llygoden wedi gwneud camgymeriad,' meddai Byffalo Bach yn drist. 'Does 'na ddim wy disglair yn y clawdd. Dw i'n mynd.'

Ond wrth i Byffalo Bach ddechrau symud, daeth sŵn siffrwd o'r clawdd. Teimlodd e awel o wynt. Cododd ei ben a disgynnodd y peth disgleiriaf yn y byd ar flaen ei drwyn.

'Wwww!' brefodd Byffalo Bach gan wneud llygaid croes.

Clywodd yr anifeiliaid y sŵn a rhedeg o'u tyllau. Gwenon nhw pan welson nhw'r pilipala ar drwyn Byffalo Bach.

'Mae gen i wy disglair!' brefodd Byffalo Bach. 'Edrychwch! Mae gen i wy disglair sy'n symud.'

A dyma fe'n rhedeg dros y cae i'w ddangos i Dwrgi.

Wrth i Byffalo Bach neidio i'r llyn, cododd cawod o ddiferion dŵr yn uchel i'r awyr a disgleirio'n yr haul. A'r uchaf a'r disgleiriaf o'r cyfan oedd wy arbennig Byffalo Bach.

*Siân Lewis*

Mai

# Chwarae Wic-wew

Roedd Shinci'r gath yn byw ym mhentre Bryn-y-felin gyda'i ffrindiau Gwenno a Rhys. Hen bentre glan-môr oedd Bryn-y-felin. Roedd y strydoedd bach crwca yn lle arbennig o dda i chwarae wic-wew. Wic-wew oedd Gwenno, Rhys a'r plant eraill yn galw'r gêm o guddio byth ers i'r hen Gapten Siâms, Orlando, alw arnynt o'i ardd un diwrnod:

'Beth chi'n neud heddiw 'te blantos, chwarae wic-wew?'

'Beth yw wic-wew, Capten?' mentrodd Rhys ofyn gan dreio peidio â chwerthin am fod y gair yn swnio mor ddoniol.

'Dy'ch chi ddim yn gwybod beth yw wic-wew? Wel-wel-wel. Chwarae cwato, wrth gwrs!' meddai'r Capten gan wenu a phwyso ar ei ffon hynod a'r bwlyn arian ar ei phen yn disgleirio yn yr haul.

Roedd Capten Siâms yn hen iawn, iawn. Dywedodd Jac, ffrind Rhys, fod y capten yn cysgu yn y dydd ac yn mynd allan i gerdded gyda'r nos. Ond doedd neb yn siŵr faint oedd oedran y capten. Pum deg? Saith deg? Cant, efallai? Cant oed . . !

Dim ond pum mis oed oedd Shinci. Ond, fel cath, teimlai fod hynny'n ddigon hen i wybod llawer o bethau. Roedd Shinci wedi bod yn byw ym Mryn-y-felin ers dau fis bellach, ac wrth ei bodd gyda'i chartref newydd a'i ffrindiau, Gwenno a Rhys. Roedd hefyd wrth ei bodd gyda'i basged fawr gynnes, y flanced liwgar, ei choler borffor smart a'i phêl fawr o wlân pinc. Hoffai hefyd ei drws bach arbennig a oedd wedi cael ei osod yn nrws mawr ffrynt y tŷ, er mwyn i Shinci gael mynd a dod fel y mynnai.

O fferm Cwm Llaethdy gerllaw'r pentref y daeth Shinci. Roedd hynny ganol mis Chwefror, pan oedd yr eira'n drwch dros y cloddiau a'r ŵyn bach ar y ddôl yn prancio er mwyn cadw'u traed bach yn gynnes. Erbyn hyn, roedd hi'n fis Mai, a'r haul yn codi'n gynnar bob bore gan ymestyn ei fysedd hir, cynnes, drwy ffenest y gegin a goglis Shinci tra oedd hi'n cysgu a chanu grwndi yn ei basged.

Ar un bore braf fel hynny y cafodd Shinci'r syniad. Penderfynodd fynd 'nôl i Gwm Llaethdy i weld ei mam. Roedd eisiau dweud wrthi pa mor hapus oedd hi yn ei chartref newydd ym Mryn-y-felin. Felly, llyncodd lond bol o frecwast braf, crensiodd y bisgedi a llyfodd y llaeth o'i soser nes fod ganddi fwstás a barf fawr wen fel Siôn Corn! Llyfodd ei phawennau a 'molchodd ei hwyneb a'i chlustiau'n gyflym. Doedd fiw iddi weld ei fam â chlustiau brwnt ganddi! Yna, bant â Shinci, allan i'r awyr iach a'r awel gynnes. Cerddodd yn hapus drwy'r pentre gan stopio i roi sws ar drwyn Norman, Fflwffen a Ding-a-ling, cathod drws nesa a drws-nesa-ond-un, a mewiodd wrthynt y byddai'n dod 'nôl i chwarae gyda nhw yn nes ymlaen. Cyn pen dim roedd Shinci wedi cyrraedd y bryn a arweiniai at fferm Cwm Llaethdy. Roedd hi'n siŵr ei bod yn cofio'r ffordd a bod Cwm Llaethdy ar gopa'r bryn, rhywle y tu ôl i'r goedwig fechan . . .

Roedd yr haul yn tywynnu'n gynnes ar got Shinci a theimlai'n hapus wrth ddringo'r bryn a chwarae wic-wew gyda'r ieir-bach-yr-haf a ddawnsiai o'i blaen yn fywiog. Wedi cyrraedd y goedwig, penderfynodd gael hoe. Dewisodd goeden ffawydden gerllaw i ymestyn ei choesau yn ei herbyn a chrafodd ei rhisgl gyda'i chrafangau miniog. Yn sydyn, hedfanodd gwas y neidr tuag ati gan aros am eiliad ar flaen ei thrwyn. Teimlai Shinci ei llygaid yn croesi wrth iddi ryfeddu at harddwch y pryfyn hir, lliwgar a'i adenydd sidan. Ond yn sydyn, cododd y pryfyn a hedfan i ffwrdd gan aros o flaen coeden onnen. Neidiodd Shinci tuag ato. Roedd arni eisiau chwarae ar ôl dringo'r holl ffordd o'r pentre!

Cyn pen dim roedd gwas y neidr a Shinci'n chwarae'n hapus yng nghanol y goedwig. Daeth ieir-bach-yr-haf, dryw, robin goch a shigldi-gwt hefyd i ymuno yn y gêm. Roedd Shinci'n gwneud ei gorau i fod yn ofalus iawn, iawn, gan ei bod yn gwybod ei bod hi'n dipyn yn fwy o faint na chreaduriaid bach y goedwig, ond roedd wrth ei bodd ynghanol ei ffrindiau bach newydd. Bu'n chwarae am amser hir iawn, nes ei bod wedi blino'n lân. Ffarweliodd â'i ffrindiau newydd, ac aeth i chwilio am le bach cyfforddus i orffwys. Ynghanol carped o glychau glas, daeth Shinci o hyd i wely bach o fwswm, ac wrth iddi fynd ati i 'molchi'i thraed eto, teimlai ei llygaid yn cau. Er iddi geisio cadw ar ddihun, roedd ei llygaid yn drwm, drwm, drwm . . . A chwympodd i gysgu.

Mae'n rhaid bod Shinci wedi cysgu am oriau, oherwydd pan ddeffrôdd ac agor ei llygaid, roedd yr haul wedi mynd i'w wely. Edrychodd i'r awyr, a gweld bod y lleuad wedi codi. Yna cofiodd Shinci am ei syniad o fynd i Gwm Llaethdy i weld ei mam, a chofiodd am yr holl amser y bu'n chwarae yn y goedwig. Cofiodd hefyd am Gwenno a Rhys a dechreuodd boeni am na fydden nhw'n gwybod ble'r oedd eu cath fach newydd. Roedd yn rhaid iddi fynd adre i Fryn-y-felin! Cododd o'i gwely ac ymestyn ei chorff hir nes bod ei chefn yr un siâp â bwa'r enfys. Edrychodd o'i chwmpas. Ond o diar! Roedd popeth yn edrych yn wahanol yng ngolau'r lleuad! Doedd hi ddim yn gwybod pa ffordd i fynd adre. Roedd Shinci druan ar goll. Dechreuodd fewian yn druenus wrthi'i hunan, yna mewiodd yn uwch gan obeithio y dôi gwas y neidr i'w helpu . . . neu'r shigldi-gwt . . . neu unrhyw un! Ond na, doedd neb o gwmpas!

Yn sydyn, clywodd Shinci ryw sŵn snwffian gerllaw. Trodd ei phen a gweld twmpath o bridd yn tyfu o flaen ei llygaid. Ar frig y twmpath gwelodd ben bach du a thrwyn smwt . . . Gwahadden! Aeth Shinci ati ar unwaith.

'Wyt ti'n gwybod pa ffordd mae Bryn-y-felin?' mewiodd Shinci.

'Mffff . . . chchchch . . . mffff . . .' sniffiodd Gwahadden. 'Dydw i ddim yn gallu gweld yn bellach na fy nhrwyn bach smwt,' sniffiodd eto. 'Gwell i ti ofyn i Mwlmwff.'

'Mwlmwff? Pwy yw Mwlmwff?' gofynnodd Shinci â'i llais bach yn crynu.

Yn sydyn, clywodd Shinci rochian gerllaw a gwelodd fochyn daear mawr yn sefyll y tu ôl iddi.

'Och! Fi yw Mwlmwff,' rhochiodd y mochyn daear. 'Beth sy'n bod?'

'Mff . . . chchchch . . . Mae'r gath fach yma ar goll, Mwlmwff! Mae hi eisiau gwybod pa ffordd mae Bryn-y-felin.'

'Och. Creadur y nos ydw i,' rhochiodd Mwlmwff. 'Dydw i ddim yn mynd allan yn y dydd, a dydw i ddim yn gwybod ble mae Bryn-y-felin.'

Roedd Shinci bron â llefen. Syniad dwl oedd mynd i Gwm Llaethdy ar ei phen ei hunan bach. Pam na fuase hi wedi aros adre i chwarae gyda Gwenno a Rhys?

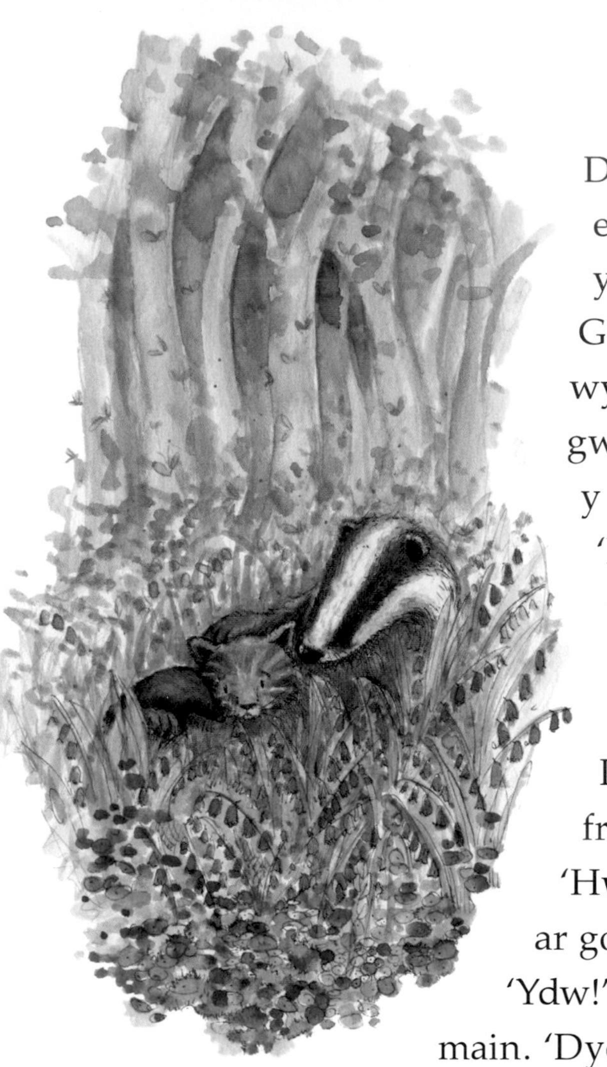

Dechreuodd Shinci fewian yn druenus eto. Rhoddodd Mwlmwff ei bawen ar ysgwydd Shinci, a chlosiodd Gwahadden ei phen yn agos, agos at wyneb y gath fach er mwyn treio gwneud iddi deimlo'n well. Yna clywodd y tri ohonynt sŵn:

'Hw-hwwww . . . Iw-hwwwww!'

'Dili!' rhochiodd Mwlmwff a sniffiodd Gwahadden gyda'i gilydd, 'Dili, y dylluan ddoeth!'

Roedd tylluan fawr wen yn eistedd ar frig y goeden binwydd gerllaw.

'Hw-hwwwww,' canodd Dili eto. 'Wyt ti ar goll, gath fach?'

'Ydw!' mewiodd Shinci mewn llais bach, main. 'Dydw i ddim yn gwybod y ffordd adre!'

'Och! Gall Dili dy helpu di. Mae Dili'n ddoethach na . . . na, wel, na'r peth doethaf yn y byd, on'd yw hi, Gwahadden?' meddai Mwlmwff.

'Mff . . . chchch . . . ydi-ydi. Doeth iawn. Dili Ddoeth! Bydd Dili'n helpu Shinci fach.'

'Hww-hwww,' hwtiodd Dili eto. 'Mi fedra i dy helpu di, Shinci. Mi alla i dy hebrwng di adre, ond ddim yr holl ffordd. Mae gen i dylluanod bach yn y nyth, a dydw i ddim am fynd yn rhy bell oddi cartre!'

'Dylen i fod yn ddoeth fel chi, Dili,' criodd Shinci. 'Ddylen i ddim fod wedi mynd yn rhy bell oddi cartre chwaith!'

'Hww-hwwww! Na hidia nawr! Dere!'

Cyn i Shinci gael cyfle i roi sws ar drwyn Gwahadden a Mwlmwff, roedd Dili wedi hedfan o frig y goeden binwydd mor gyflym â mellten. Gafaelodd ei chrafangau yng ngholer borffor Shinci a'i chodi i fyny fry, fry i'r awyr, uwch y coed, bron mor uchel â'r cymylau!

'Mfff . . . chchch!' ffarweliodd Gwahadden.

'Och!' ffarweliodd Mwlmwff.

'Diolch!' mewiodd Shinci wrth hedfan o'r goedwig gyda Dili, lawr gydag ochr y bryn, gan godi'n uchel a gostwng yn isel dros y tir. Yna gwelodd Shinci oleuni strydoedd bach crwca'r pentre'n dod i'r golwg, a llamodd ei chalon wrth feddwl am ei basged glyd a'i ffrindie annwyl.

'Hww-hwww!' canodd Dili. 'Bydd rhaid i mi dy ollwng di yma! Bydd yn ofalus, Shinci!'

A chyn i Shinci fedru rhoi sws iddi, roedd Dili wedi gollwng ei gafael ar goler borffor ei ffrind newydd ac roedd hithau'n rowlio a phowlio drwy'r awyr tuag at lain o borfa islaw.

Ond doedd Shinci ddim yn gwybod yn iawn ymhle'r oedd hi. Roedd yn gwybod ei bod ym Mryn-y-felin yn rhywle, ond ble? Dechreuodd boeni. Beth os byddai'n mynd ar goll eto? Ond doedd dim rhaid iddi boeni llawer. Dan olau'r lleuad fawr, gwelodd rywbeth yn disgleirio – rhywbeth disglair, lliw arian, ac roedd e'n symud . . .

'Wel-wel-wel . . . Shinci fach wyt ti, on'tefe?'

Clywodd Shinci llais y Capten yna fe'i gwelodd yn agosáu â'i ffon bwlyn arian yn ei law yn help iddo gerdded. Plygodd y Capten yn drafferthus i godi Shinci, a gwelodd Shinci'r hen ŵr yn gwenu'n garedig arni.

Roedd Gwenno a Rhys wedi bod yn galw a gweiddi enw Shinci

drwy strydoedd y pentre i gyd cyn iddi nosi. Roedden nhw'n poeni'n fawr ei bod wedi mynd ar goll.

'Weden i fod Shinci fach wedi bod ar antur,' meddai'r Capten. 'Dere di, ffrind bach, fe a' i â ti adre!'

Ac felly y bu. Cariodd y Capten Shinci fach yr holl ffordd o'i ardd ef at ddrws cartref y gath fach ar waelod y stryd. Edrychai Shinci ymlaen at weld ei basged, ei blanced, ei soser ac wrth gwrs ei ffrindiau, Gwenno a Rhys.

'Nos da, Shinci fach!' meddai'r hen gapten.

'Nos da, Capten Siâms,' mewiodd Shinci, cyn rhoi sws ar flaen trwyn yr hen gapten. Yna neidiodd o'i gôl a brasgamu trwy ddrws-bach-y-gath.

Dyna ddigon ar chwarae wic-wew am un diwrnod, meddyliodd Shinci. Roedd hi wedi blino – wedi blino'n lân!

*Dwynwen Lloyd Evans*

Mehefin

# Bwystfil Dinbych-y-pysgod

Dydd Sadwrn olaf Mehefin oedd diwrnod trip Ysgol Sul Ystrad. Y bore hwnnw, roedd yr haul yn tywynnu a phawb ar sgwâr y pentref yn dringo ar y bws yn barod i fynd i Ddinbych-y-pysgod. Roedd Mari Lôn Las, yr athrawes Ysgol Sul, fel iâr fawr yn ceisio cyfri'r plant oedd yn rhedeg o'i chwmpas yn wyllt.

'Un . . . dau . . . tri . . . pedwar . . . o drato! Bydd rhaid i fi ddechrau 'to!' meddai hi'n ddryslyd gan chwerthin yn uchel dros y lle.

Roedd y mamau a'r tadau wrthi'n dringo grisiau'r bws ac yn rhoi eu bagiau i gadw tra bod y ficer yn stryffaglu gyda'r stôl fach y byddai e'n ei chario i bobman. Aeth Dylan a Lowri i eistedd gyda'r plant eraill yng nghefn y bws, eu cegau'n sych a'u boliau'n troi. Gan fod pawb wedi gorfod codi mor gynnar, teimlai amser brecwast fel oriau'n ôl, ac roedd sylw'r plant eisoes yn dechrau troi at eu bocsys brechdanau llawn. Doedd Dylan a Lowri heb gysgu winc y noson cynt, a'r ddau wedi bod yn pacio ers ben bore. Yn eu bagiau roedd bwced a rhaw, dillad nofio, tywel yr un, pâr o esgidiau bach plastig, a rhwyd er mwyn mynd i archwilio mewn pyllau ac ogofâu.

Roedd trip Ysgol Sul pentref Ystrad bob amser yn drip a hanner! O'r diwedd, pan oedd Mari Lôn Las yn siŵr bod pawb yn bresennol, a'r ficer wedi llwyddo i blygu'i stôl fach yn ei hanner a'i gosod yn daclus wrth ei ochr, fe gychwynnodd y bws. Bu bron i Lowri lanio yng nghôl Dylan wrth ymestyn i edrych allan drwy'r ffenestr. Roedd yr awyr yn las, las, a'r cloddiau'n gwibio heibio'n araf o un i un. Roedd y ddau'n awchu am gael cyrraedd a dechrau ar eu hantur. Ond dal i lusgo o gwmpas pob cornel a wnâi'r bws, wrth i fagiau pawb lithro o'r golwg dan y sedd o'u blaenau.

Ymhen ychydig, dyma Lowri'n gweld arwydd mawr glas ym môn y clawdd a'r geiriau 'Croeso i Ddinbych-y-pysgod' arno.

'Edrychwch!' meddai hi, ac fe wasgodd pawb eu trwynau yn erbyn gwydr ffenestri'r bws. Fan draw, gallent weld y dref glan môr yn ymestyn yn hardd o'u blaenau. Roedd y tai'n lliwgar fel gwên fawr o ddannedd bob lliw, a'r harbwr yn sgleinio'n ddwfn ac yn las yn y pellter. Ar hyd lan y môr, roedd pobl fel dotiau lliwgar yn cerdded a gwylanod gwyn yn bwyta crystiau a sglodion ar bwys ambell griw o bobl oedd yn eistedd ar feinciau yn yr haul.

'Hwrê!' gwaeddodd pawb wedi i'r bws barcio, gan ddechrau llifo allan i'r palmant yn barod am ddiwrnod braf.

Roedd y môr yn ochneidio'n dawel ac yn sgleinio fel gliter gan addurno'r tywod aur â dafnau o ewyn gwyn wrth i griw Ystrad gerdded i lawr y stepiau i'r traeth.

'Waw!' meddai Dylan wrth agor ei lygaid yn fawr. 'Dyma'r traeth mwyaf i mi ei weld erioed!'

Wedi i bawb ddewis tamaid o draeth yn gartref am y dydd, dyma'r mamau'n taflu tywelion fel hwyliau cychod lliwgar i'r awyr a'u gadael i setlo'n llyfn ar y tywod poeth. Roedd y ficer yn dal i stryffaglu â'i stôl, gan geisio gwneud yn siŵr ei bod yn ddigon cyfforddus. Wiw iddo fynd i unman hebddi, gan y credai'n gryf na ddylai unrhyw ficer fyth orfod eistedd ar y llawr. Bob nawr ac yn y man, wrth i'r tywydd gynhesu, byddai'n gwthio bys tew, chwyslyd, o dan y coler gwyn oedd o amgylch ei wddf.

Eistedd gyda Mam a Dad wnaeth Dylan a Lowri. Allai'r ddau ddim peidio â chwerthin wrth i Dad rowlio'i drowser i fyny gan

ddangos ei goesau llyfn, gwyn i'r byd. Wedi bwyta llond bol o frechdanau tomato cynnes, tywodlyd, newidiodd Dylan a Lowri eu dillad tra bod Mam yn dal tywel o'u cwmpas. Rhedodd y ddau nerth eu traed at y môr i drochi bysedd eu traed yn y dŵr disglair gyda geiriau eu mam yn canu yn eu clustiau:

'Peidiwch â mentro'n rhy bell!'

Ond O! roedd y dŵr yn oer a rhai o'r plant eraill yn sgrechian ac yn chwerthin wrth i'r tonnau bach luo eu traed. Gorweddai cregyn gwyn fel gemau drudfawr fan hyn a fan draw. Casglodd Lowri rai ohonynt yn ei bwced melyn i'w dangos i Mam.

Ymhen ychydig, rhedodd Dylan a Lowri yn ôl at Mam a Dad er mwyn gwisgo'u hesgidiau. Roedd Dad yn cysgu ar ei gefn yn barod ac wedi tynnu ei grys. Edrychai ei groen gwyn hyd yn oed yn wynnach, rhywffordd, yng ngolau'r haul. Eistedd yn darllen yr oedd Mam, a'i sgert wedi ei chodi uwchben ei phengliniau.

'Byddwch yn ofalus nawr!' meddai hi wrth i'r ddau redeg nerth eu traed tuag at y pyllau dŵr a'r ogofâu y tu hwnt iddynt.

Yn y pyllau dŵr roedd yna bysgod bach, bach yn gwibio o garreg i garreg, a Dylan a Lowri wrth eu bodd yn eu gwylio. Yn sydyn, fe gododd Dylan granc bach i fyny gerfydd ei gragen gan wylio'i draed yn cerdded yn yr awyr. Bu'r ddau'n chwarae am amser hir, nes i Dylan sylwi ar ogof fawr yn ochr y graig.

'Edrych, Lowri! Beth am fynd i mewn i'r ogof?'

Roedd ar Lowri ofn, ond doedd hi ddim eisiau cael ei gadael ar ôl chwaith. Wrth nesáu at yr ogof, gallai'r ddau weld ei bod yn ymestyn i fyny'n bell uwch eu pennau ac roedd hi'n dywyll ac yn wlyb y tu fewn.

'Mae arna i ofn!' meddai Lowri.

'Dere mlaen,' meddai Dylan gan gydio yn ei llaw a'i llusgo tuag at yr ogof, 'fe gawn ni hwyl!'

Dyma'r ddau'n sbecian i mewn i'r ogof ddofn a Dylan yn cerdded gam neu ddau o flaen Lowri o hyd. Ymgripiodd y ddau i mewn yn ara bach gan edrych i fyny ar y creigiau tywyll. Roedd hi'n oer a Lowri'n dechrau teimlo pinnau bach yn saethu trwy ei chorff.

'Wyt ti'n meddwl fod bwystfil yn byw fan hyn?' sibrydodd Lowri'n ofnus.

'Paid â bod yn wirion!' meddai Dylan gan geisio swnio'n llawer mwy dewr nag yr oedd yn teimlo.

Yna'n sydyn, o berfeddion yr ogof dywyll, daeth y sŵn mwyaf brawychus erioed.

'RHHHHHHHHOCHHHHHH AGHHHHHHHHHHHH! RHHHHHHHHOCHHHHHHHH AGHHHHHHHHHH!' rhuodd y sŵn.

'Bwystfil!' sgrechiodd Lowri wrth i Dylan neidio mewn braw. Trodd y ddau ar eu sawdl a rhedeg nerth eu traed yn ôl tuag at Mam a Dad wrth i'r tywod godi'n gwmwl y tu ôl iddynt.

'Maaaaaaaaaaaaaaaaaaaaaaaaam!' gwaeddodd y ddau wrth redeg, gan roi cymaint o fraw i Mam nes i honno ollwng diod drosti i gyd!

'Beth ar y ddaear sy'n bod?' meddai hi gan neidio ar ei thraed. Roedd pawb yn gwrando'n frwd wrth i Dylan a Lowri esbonio am y bwystfil yn yr ogof ac am y sŵn aflafar a glywsant. Doedd dim amdani wedyn ond mynd 'nôl i'r ogof i archwilio beth oedd yno – Dylan a Lowri ar y blaen, a gweddill criw Ystrad yn dilyn yn llawn cyffro y tu ôl iddynt. Edrychai Mari Lôn Las braidd yn betrusgar wrth gerdded ling-di-long yng nghefn y grŵp, tra bod Dad wedi cydio mewn hen ddarn o froc môr er mwyn ei amddiffyn ei hun. Cerddodd pawb yn dawel, dawel, i mewn i'r ogof gan wrando'n astud. Ond doedd dim i'w glywed. Roedd pobman yn ddistaw heblaw am ddripian tawel dŵr ar y waliau. Yna'n sydyn . . .

'RHHHHHHHHOCHHHHHH AGHHHHHHHHHHHH! RHHHHHHHHOCHHHHHHHH AGHHHHHHHHHH.' Dyna'r sŵn eto!

Rhoddodd pawb naid – ond o leiaf gallai Dylan a Lowri guddio y tu ôl i sgert Mam y tro hwn! Serch hynny, mentro ymhellach i mewn i'r ogof wnaeth y criw nes i'r sŵn dyfu'n uwch ac yn uwch. Yna, daeth golygfa ofnadwy i'r golwg! Dyna'r bwystfil o'u blaenau! Roedd wynebau pawb yn syn wrth weld y ficer yn cysgu'n sownd ar ei stôl ac yn chwyrnu fel hipopotamws!

Roedd sŵn ei chwyrnu'n atseinio drwy'r ogof fel rhuo bwystfil! Wrth i ofn pawb droi'n chwerthin braf dros y lle, dyma'r ficer yn dihuno ar unwaith.

'O-o-o helô!' meddai gan edrych o'i gwmpas yn ddryslyd. 'Roedd yr hen haul 'na . . . yn rhy gryf . . . ac fe ddes i . . . i mewn fan hyn . . . i gael cysgod!'

Roedd Lowri a Dylan hefyd yn chwerthin yn llon wrth weld y ficer â'i fol mawr a'i drwyn mawr coch.

Criw blinedig iawn oedd yn dringo grisiau'r bws ar ddiwedd y dydd. Ar ôl pryd blasus o bysgod a sglodion yn y caffi ar y gornel, roedd boliau pawb yn llawn a phawb yn cytuno eu bod wedi cael diwrnod braf. Erbyn hynny, doedd neb fawr yn becso am yr haenen denau o dywod ar lawr y bws oedd wedi cwympo oddi ar esgidiau pawb, nac am yr halen yng ngwallt pob un – yn cynnwys y ficer! Pwysodd Lowri ei phen ar ysgwydd Dylan er mwyn gorffwys. Ac wrth i'r haul suddo'n gynnes y tu ôl i'r cloddiau gan addo diwrnod braf arall yfory, roedd Lowri a Dylan yn cysgu'n sownd, yn breuddwydio am hwyliau lliwgar, gwylanod gwyn a bwystfil mawr ogof Dinbych-y-pysgod!

***Caryl Lewis***

# Gorffennaf

# Achub y Dydd

Roedd Wil wrth ei fodd yn croesi Swnt Jac at Ynys Sgomer pan oedd y llanw'n dod i mewn. Byddai ei dad-cu'n llywio trwyn y cwch yn ofalus tua'r ynys wrth i'r tonnau glatsho yn erbyn yr ochr. Roedd y menywod a'r plant oedd ar fwrdd *Brenhines Solfach* yn sgrechian fel gwylanod wrth iddyn nhw gael eu codi lan yn sydyn gan y tonnau. Erbyn hyn roedd dyn a menyw oedd yn wynebu'r môr mawr yn tagu a thasgu a phoeri a ffysian wrth i halen y môr losgi eu llygaid a llanw eu cegau. Yng nghefn y cwch roedd dyn tal a chanddo gamera drud â lens hir – gwyddai Wil mai dyn gwylio adar oedd hwn, a byddai'n ymweld â'r ynys yn aml er mwyn tynnu lluniau a'u gwerthu am arian mawr. Mae'n rhaid ei fod yn gwneud ffortiwn, meddyliodd Wil, gan fod ganddo ddillad-tywydd-gwlyb smart ac esgidiau rhy grand i'w gwisgo i gerdded mewn baw. Treinyrs oedd gan y fam a'r ddau blentyn ar ochr arall y cwch. Tybiai Wil fod y bachgen tua'r un oedran ag e – tair ar ddeg – a'r ferch ychydig yn iau. Roedd rhywbeth slei ynghylch y bachgen, a phenderfynodd Wil gadw llygad barcud arno. Ar ôl cyrraedd yr ynys byddai ei dad-cu'n mynd i gael cwpaned o de gyda'r Warden a byddai Wil yn dewis un person neu grŵp o bobl i'w dilyn o bell. Fel hyn y daeth i wybod am bob twll a chornel o'r ynys, ac i adnabod yr adar i gyd.

Yn sydyn, daeth un o Adar y Pâl i hofran uwchben y cwch fel y gwnâi bob tro wrth iddyn nhw nesáu at y lan.

'Tad-cu! Mae hi 'di cyrraedd!' ebychodd Wil.

Ond roedd gwên ar wyneb Tad-cu yn barod.

'Pam mae hi'n dod aton ni?' gofynnodd Wil.

'Gofalu ar ein hôl ni mae hi wrth i ni droi i mewn i'r bae.'

Chwarddodd Wil.

'Paid â chwerthin,' rhybuddiodd ei dad-cu. 'Maen nhw'n dweud pan eiff hi o dan y dŵr ei bod hi'n troi'n ferch hardd, gwallt coch ac aur ganddi, a chynffon hir.'

'Môr-forwyn?' gofynnodd Wil gan wenu.

''Na ti.'

'Ti 'di'i gweld hi erioed 'te?'

'Naddo,' atebodd Tad-cu. 'Dim ond rheiny sy'n gwneud tro da â'r ynys sy'n ddigon lwcus i gael ei gweld hi.'

Roedd yr aderyn bach yn dal i fod gyda nhw ac yn hofran yn agos at y fam a'r ddau blentyn. Cydiodd y ddwy yn dynn yn ei gilydd. Ond dechreuodd y bachgen chwifio'i fraich a gweiddi,

'Ah! Cer o 'ma! Cer o 'ma, yr hen beth hyll!'

Syllodd Wil yn syn arno. Sut gallai e alw aderyn mor bert yn beth hyll?

'Wil!' gwaeddodd ei dad-cu.

Roedd yn bryd iddo neidio oddi ar y cwch i'r cei. Cydiodd yn y rhaff a neidiodd i'r lan. Bwrodd y cwch yn galed erbyn y graig. Clymodd Wil y rhaff yn sownd, ac aeth injan *Brenhines Solfach* i ganu grwndi'n hapus wrth gyrraedd yn ddiogel. Cododd pob un o'r teithwyr ar eu traed yn sigledig a helpodd Wil nhw i gamu i'r lan yn ddiogel. Cynigiodd ei law yn fonheddig, ac roedd pawb yn falch o gael help – pawb heblaw'r bachgen, yr olaf i gamu o'r cwch. Gallai Wil glywed ei fam yn siarsio:

'Dere, Dan bach!'

Dringodd pawb y grisiau serth i fyny o'r cei, a Wil yn eu dilyn.

'Odi dy ffôn 'da ti?' Ei dad-cu oedd yn gweiddi.

Teimlodd Wil ym mhocedi'i got – oedd, roedd y ffôn bach yno, gyda'r frechdan gaws, a'r afal a'r botel *Lucozade* yn y boced arall.

'Odi!'

'Cofia – cwch yn mynd 'nôl am hanner awr 'di dou!' rhybuddiodd ei dad-cu.

'Iawn!'

Ar dop y grisiau roedd stondin fach yn gwerthu mapiau o Ynys Sgomer a thaflenni am y bywyd gwyllt oedd i'w weld yno. Prynodd y fam fap i Dan, ac un iddi hithau. Mae'n rhaid ei fod yn mynd o gwmpas yr ynys ar ei ben ei hunan, meddyliodd Wil. Ac i ffwrdd â Dan – o flaen pawb arall.

'Paid â cholli'r cwch 'nôl!' gwaeddodd ei fam.

Ond roedd Dan wedi mynd. Roedd Wil yn ysu am ei ddilyn, ond doedd e ddim am wneud hynny'n rhy amlwg – felly arhosodd gyda'r criw am ychydig a gwrando ar y Warden yn croesawu pawb. Ble'r oedd Dan yn mynd, tybed? Mew Stone, y ffermdy, neu'r Wick? Penderfynodd adael gweddill y criw a cherddodd oddi yno'n gyflym. Oddi tano roedd ei dad-cu wedi gorffen cymhennu'r cwch ac roedd yn gwylio Wil yn rhuthro i fyny'r bryn. Gwenodd

Tad-cu iddo'i hun, gan gofio sut yr arferai e redeg rhwng y rhedyn a'r grug pan oedd yn fachgen ifanc yn byw ar fferm yr ynys.

Teimlai Wil y rhedyn a'r grug yn crafu yn erbyn ei goesau wrth iddo ddringo. Yn sydyn daeth cot ddu Dan i'r golwg yn y pellter. Roedd Dan wedi gwibio trwy Ddyffryn Nant y De ac yn dringo'r Welsh Way. Stopiodd Wil am ennyd a sbio trwy ei ysbienddrych; gallai weld cefn Dan yn glir. Roedd y map yn ei law chwith, a chariai rywbeth ar ei ysgwydd dde – ond doedd Wil ddim yn medru gweld beth oedd e yn union. Byddai pawb fel arfer yn stopio ar y top i edmygu'r olygfa allan am y môr. Ond nid Dan. Yn sydyn, diflannodd tros gopa'r bryn. Rhedodd Wil mor gyflym ag y gallai, lawr i'r dyffryn, ar hyd y bont fechan dros y nant a lan y bryn ar yr ochr arall gan neidio dros yr holl dyllau cwningod.

Daeth Wil i gopa'r bryn ac i'r man gwastad ar y top. Ni fedrai weld Dan, ond gwyddai nad oedd yn bell oddi wrtho nawr gan fod gwylanod ifainc, â'u plu brown, yn codi i'r awyr ychydig o'i flaen wrth i Dan gerdded rhyngddynt. Daeth sŵn Adar Drycin y Graig a'r Gwylanod Coesddu'n agosach, a gwelodd Wil eu cartref – craig fawr y Wick. Roedd bron ag anghofio am Dan wrth syllu ar y graig enfawr. Roedd y bachgen ar ei gwrcwd wrth y rhaff ger y dibyn ac yn chwarae â rhywbeth ar y llawr. Aeth Wil yn agosach ato ar flaenau'i draed. Teimlai fel dyn gwylio adar go iawn. Roedd dwy lygoden fawr wrth draed Dan, a'r rheiny'n bwyta creision o'i law! Bu bron i Wil sgrechian. Cerddodd yn araf ato, gan benderfynu mai'r syniad gorau fyddai peidio â chael panig dwl, a cheisio bod yn gyfeillgar. Roedd y llygod yn frown tywyll a chanddynt gynffonnau hir pinc, seimllyd. Y llygoden fawr oedd un o'r creaduriaid mwyaf peryglus i adar yr ynys ac roedd yn rhaid i Wil gael gwared arnyn nhw. Ond sut?

'Helô,' meddai Wil.

Cafodd Dan syndod. Roedd yn amlwg nad oedd wedi clywed Wil yn agosáu.

'Beth yw enwau'r ddwy lygoden?' gofynnodd Wil.

'Ken yw hwn, a Barbie yw hon,' meddai Dan gan roi mwythau i Barbie.

'Ti'n arfer mynd â nhw am dro fel hyn?' gofynnodd Wil.

'Nac ydw,' atebodd Dan.

'Pam ddest ti â nhw i Sgomer 'te?' gofynnodd Wil gan geisio peidio â swnio'n grac. Nid oedd Dan yn ateb. Yn sydyn daeth un o Adar y Pâl i fyny o'r môr â physgod hirion wedi eu dal blith draphlith yn ei big mawr lliwgar. Disgynnodd heb fod ymhell oddi wrth Dan a Wil, a Ken a Barbie.

'Edrych,' meddai Wil gan sibrwd.

'Beth mae e'n neud lan fan hyn?' gofynnodd Dan.

'Gwylia di'n ofalus, fe fydd e'n diflannu nawr lawr twll cwningen.' Edrychodd Wil ar Dan – roedd yn amlwg wedi ei swyno.

'Pam mae e'n mynd â physgod lawr twll cwningen?' gofynnodd Dan yn syn.

'Bwydo'r rhai bach.'

Ac ar y gair, dyma'r aderyn bach pwt yn diflannu i lawr y twll. Gwenodd Dan.

'Ti'n lwcus i weld Adar y Pâl heddi. Ddiwedd mis Gorffennaf

maen nhw'n gadael Sgomer am y gwledydd twym. Ond fe fyddan nhw'n ôl y flwyddyn nesa.'

Roedd Dan yn dal i syllu ar y twll cwningen, yn aros i'r aderyn bach ddod allan.

'Wyt ti'n gwbod pam eu bod nhw'n joio byw 'ma?' gofynnodd Wil.

Ysgydwodd Dan ei ben eto.

'Does dim llygod mawr 'ma.'

Roedd Ken a Barbie yn gorffen briwsion olaf y creision.

'Pam ddest ti â nhw fan hyn?' gofynnodd Wil.

'Dwi'n mynd i'w gadael nhw 'ma,' atebodd Dan.

'Elli di ddim! Fe fyddan nhw'n bwyta'r wyau sy lawr yn y tyllau cwningod. Fe fyddan nhw'n cael llygod bach, ac yn sydyn fe fydd Ynys Sgomer yn llawn llygod a bydd dim Adar y Pâl yma, nac Adar Drycin Manaw chwaith, achos mae'r rheiny'n nythu yn y ddaear hefyd.'

Clywai Wil ei lais ei hun yn codi'n uwch ac yn uwch.

'Ti ddim yn moyn i'r hyn ddigwyddodd ar Ynys Wair i ddigwydd fan hyn. Fe ddiflannodd yr adar achos llygod mawr, a bu raid iddyn nhw wario miloedd o bunnoedd ar wenwyn i'w lladd nhw. Mae Adar y Pâl 'di dechre nythu 'na eto nawr.'

Yn sydyn, dyma'r aderyn bach yn neidio allan o'r twll cwningen a gwibio i lawr am y môr. Roedd dagrau'n dechrau llanw llygaid Wil – roedd e'n teimlo mor grac.

Meddai Dan, 'Mae Mam a Helen a fi yn symud i fflat ac ry'n ni'n ffaelu cadw anifeiliaid anwes 'na. Ro'n i 'di darllen am Ynys Sgomer ac o'n i'n meddwl y bydde fe'n lle da i Ken a Barbie fyw.'

'Wel, dwyt ti ddim 'di darllen digon am yr ynys, 'te,' atebodd Wil yn bendant.

Roedd arno ofn cydio yn y llygod, ond roedd y ddwy yn dechrau crwydro tua'r rhedyn gerllaw, ac unwaith y bydden nhw o dan y planhigion tal, fydde dim posib cael gafael arnyn nhw. Llyncodd ei boer. Plygodd i lawr, a chydio'n dynn yn Barbie. Aeth ias i lawr ei gefn.

'Rho Barbie 'nôl lawr,' meddai Dan, mewn syndod.

'Cydia di yn Ken,' dywedodd Wil.

'Tria ngorfodi i,' atebodd Dan.

'Ti ddim yn moyn gadael Ken 'ma ar ei ben ei hunan, wyt ti?'

'Ond rhaid i fi ffeindio cartre iddyn nhw,' protestiodd Dan.

Aeth Wil i estyn y ffôn symudol o'i boced. Deialodd rif ei dad-cu â'i law chwith, gan ddal Barbie â'i law dde. Os oedd ei dad-cu yn dal i fod yn y bwthyn yn yfed te gyda'r Warden, byddai'n siŵr o dderbyn yr alwad. Clywodd Wil y ffôn yn canu a'i dad-cu yn ateb.

'Ie?'

'Ti 'da'r warden o hyd?'

'Ydw. Be sy'n bod, machgen i?' gofynnodd ei dad-cu. Roedd y cwestiwn yn un digon teg, gan nad oedd Wil erioed o'r blaen wedi gorfod ei ffonio ar yr ynys.

'Gofynna i'r Warden os oes caets 'da fe i ddal dwy lygoden fowr. Anifeiliaid anwes y'n nhw.'

'Tynnu nghoes i wyt ti?'

'Nage.'

Clywodd Wil ei dad-cu'n siarad â'r Warden. Roedd Ken yn busnesa wrth droed y rhedyn. Yn sydyn, clywodd lais ei dad-cu unwaith eto.

'Mae e'n gweud y daw e o hyd i rywbeth. Allet ti ddod lan i'r ffarm?'

'Gallaf. Ond gofynna i'r Warden ffonio'r RSPCA i weld a fyddan nhw'n gallu cymryd dwy lygoden fowr.'

Yn sydyn, plygodd Dan a chodi Ken i'w gôl.

'Iawn. Ble wyt ti?'

'Ar bwys y Wick,' atebodd Wil.

'Ti moyn i fi ddod i gwrdd â ti?' gofynnodd ei dad-cu.

'Na, mae ffrind 'da fi i helpu, diolch.'

Gwenodd Dan arno.

'Wela i di'n y funud,' meddai ei dad-cu.

Ffarweliodd Wil â'i dad-cu, rhoddodd y ffôn 'nôl yn ei boced, ac meddai wrth Dan, 'Dyw'r ffarm ddim yn bell; fyddwn ni fawr o dro yn mynd dros y mynydd.'

'Iawn. Ti'n fodlon cario Barbie?'

Edrychodd Wil ar y creadur blewog a'i lygaid bach brown addfwyn.

'OK.'

Roedd y fordaith 'nôl am y tir mawr yn dipyn tawelach nag oedd hi ar y ffordd draw. Eisteddodd Wil yng nghefn y cwch a Dan wrth ei ochr. Roedd Ken a Barbie'n ddiogel yn eu caets yn y caban gyda Tad-cu. Cafodd mam Dan a'i chwaer Helen dipyn o sioc pan welson nhw fod Ken a Barbie wedi dod i Sgomer, ond roedden nhw'n falch fod Wil wedi perswadio Dan i beidio â'u gollwng yn rhydd. Roedden nhw'n ddiolchgar iawn i'r Warden hefyd am gysylltu â'r RSPCA, a threfnu i un o'u gweithwyr dod i gwrdd â nhw yr ochr draw.

Wrth i *Brenhines Solfach* ddechrau ar ei thaith 'nôl, chwiliodd Wil am Aderyn y Pâl oedd yn arfer cadw cwmni iddyn nhw a'u hebrwng 'nôl dros Swnt Jac – ond doedd dim sôn amdani. Dyna ryfedd, meddyliodd. Syllodd o dan y tonnau llyfn i weld a oedd morloi yno, ond doedd dim yno heblaw dyfnder gwyrddlas, tywyll. Yna gwelodd fflach o rywbeth. Lliw aur. Lliw coch. Ac yno'n nofio ychydig o dan wyneb y dŵr gydag ochr y cwch, roedd Wil yn siŵr ei fod yn medru gweld môr-forwyn hardd a'i gwallt eurgoch hir yn llifo y tu ôl iddi. Nofiai fel pysgodyn a'i chynffon yn gwibio i fyny ac i lawr. Syllodd Wil arni. Edrychodd ar ei dad-cu. Roedd am ddangos y fôr-forwyn iddo. Ond roedd ei dad-cu eisoes yn edrych arno yn nrych y caban, ac yn gwenu. Syllodd Wil i'r dyfnderoedd unwaith eto, ond doedd dim i'w weld ond dyfnder gwyrddlas.

*Non Vaughan Williams*

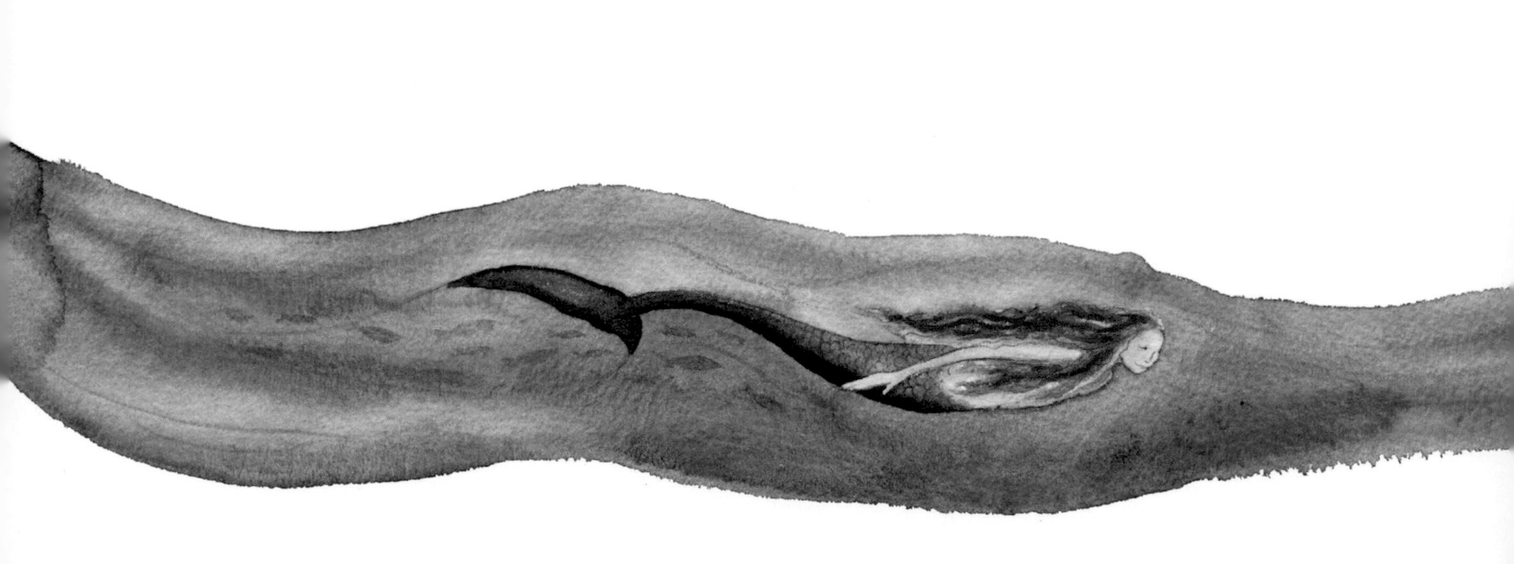

# Awst

# Dim

Dim ŵyn, mae'n wir, yn prancio,
dim ti, friallen fach;
dim lili wen yn mentro
drwy'r eira i'r awyr iach . . .

. . . Ond wedyn, dim gwaith cartref,
dim poen rhifyddeg pen;
dim darllen a dim deall,
dim cwmwl yn y nen.

Dim ysgol Sul, dim ysgol,
dim byd ond chwarae'n braf;
dim mynd i'r gwely'n gynnar,
mae'n wyliau – ac mae'n haf!

Dim gwersi canu'r piano,
dim chwarae 'scêls' di-ri . . .
a dyma pam rwy'n gwybod
mai Awst yw'r mis i mi!

# Picnic

Mae Anti Beryl, wir i chi,
yn ddynes go arbennig;
pan ddaw mis Awst – boed haul neu law –
fe ddwed: 'Wel! Bendigedig . . .

'Jyst y tywydd, blantos mwyn,
i fynd i'r ardd am bicnic,'
a mas a hi â basged llawn
danteithion – mae'n ffantastic!

Ac os daw'r glaw i olchi'r wledd
a phopeth driphlith-draphlith,
mae Anti Beryl fach yn dweud:
'Twsh baw! 'Sdim ots! Fe basith!'

A mlaen â ni â'r sbort a'r sbri,
gan fwyta yn ein cotiau,
a chyn bo hir – mae'n eithaf gwir –
daw'r haul drwy'r hen gymylau.

Rwy'n meddwl weithiau, pe bai'n storm
o law a mellt a th'ranau,
y byddai hi a ni'n yr ardd
â basged o frechdanau.

Mae Anti Beryl, wir i chi,
yn ddynes go arbennig;
pan ddaw mis Awst – boed haul neu law –
fe ddwed: 'Wel! Bendigedig . . !'

# Cysgu Mewn Pabell

Tyrd i'r babell 'mhen pellaf
yr ardd, a hi'n hwyr o haf,
i'r wlad las dan ganfasau
a dim ond breuddwydion dau
yn llenwi'r tir – fi a ti
hyd y wawr mewn un stori.
Os daw'r glaw cawn fod yn glyd,
mi awn i'n sach mewn munud,
a gwn na chlywn sŵn y gwynt
â'n geiriau ninnau'n gorwynt.
Ac mewn pabell 'mhen pellaf
yr ardd, a hi'n hwyr o haf,
o'n gwlâu drwy'r tyllau'n y to
cawn, siŵr iawn, weld sêr heno.

# Casglu Mwyar

Mae'n ddiwedd haf
a'r dydd yn braf
a'r pnawniau'n dal i ddiogi;
a ger y ffyrdd,
mewn llwyni gwyrdd,
mae cyfoeth yn cysgodi.

Cans rhwng y dail,
o dan yr haul,
mae coch yn troi yn borffor;
ac yno'n rhes,
yng ngwên y gwres,
mae'r clawdd yn cuddio'i drysor.

Â bysedd chwim,
heb dalu dim,
caf gasglu gwledd i frenin –
(mae'n well na siâr
o gafiâr,
a gwell na siwgwr eisin).

Drwy bigau'r drain
mae 'nwylo main
yn dwyn y llwyth o'i garchar;
â'r perlau'n rhydd,
fy ngwobr fydd
cael tarten fawr o fwyar!

# Sêr y Dydd

Dywedodd Miss Jones yn yr ysgol
fod y sêr uwch ein pennau'n y dydd,
a dwedodd y gallwn eu gweled
pe bai gen i 'chydig o ffydd.

Dywedodd eu bod yno'n disgwyl
am gwmni yr hen leuad dlos
i'w galw i chwarae'n y düwch
yng ngardd fendigedig y nos.

Ond heddiw, mi ddysgais gyfrinach
i'w rhannu â neb ond â ffrind,
a nawr rwyf i'n gwybod, fy nghyfaill,
i ble mae pob seren yn mynd.

Yn haul y prynhawn ym Mhorthsychan
fe'u gwelais i gyd yno'n siŵr,
wedi mentro o'r nefoedd i ddawnsio
mewn disgo ar wyneb y dŵr.

*Mererid Hopwood*

# Medi

# Fflamingos a Phlu

Roedd yr ysgol newydd ailagor ar ôl yr haf. Drwy'r gwyliau, roedd y tywydd wedi bod yn ddiflas iawn: gwynt a glaw, a dim ond llygedyn o haul. Ond, wrth gwrs, â phawb 'nôl yn yr ysgol, roedd hi nawr yn heulog braf!

Prynhawn dydd Gwener oedd hi, ac roedd plant dosbarth Mrs Williams i fod i orffen eu gwaith. Ond yn lle hynny roedden nhw'n siarad ac yn edrych drwy'r ffenest ar yr haul yn gwenu.

'O'r gorau, blant,' meddai Mrs Williams gan godi'i llais. 'Byddwch yn dawel nawr. Mae rhywbeth pwysig gyda fi i'w ddweud wrthoch chi.'

Tawelodd pawb. Roedd Mrs Williams yn swnio'n gyffrous.

'"Pethau byw" yw ein thema ni'r tymor yma. Felly, dydd Mawrth nesaf, byddwn ni'n mynd i Benclacwydd i weld yr adar yng Nghanolfan y Gwlyptir.'

Cyfle i ddianc o'r dosbarth – roedd pawb wrth eu bodd! Wel, pawb ond un. Doedd Miriam ddim yn hoffi mynd ar dripiau. Roedd hi mewn cadair olwyn ac roedd mynd ar drip yn dipyn o ffwdan. Roedd hi'n teimlo'n hapusach yn yr ysgol. Ac ar ben hynny, roedd adar yn codi ofn arni.

Erbyn i bawb gyrraedd Penclacwydd fore Mawrth, roedd Miriam yn teimlo'n fwy nerfus fyth.

'Dw i eisiau i chi sylwi'n fanwl, fanwl ar yr adar,' meddai Mrs Williams. 'Sylwch ar liw'r plu, a siâp eu pigau nhw. Fe fydd pob pâr ohonoch chi'n cael pecyn o hadau i fwydo'r adar. Peidiwch â'u taflu nhw i gyd ar unwaith, cofiwch!'

Dechreuodd y plant gerdded ar hyd y llwybr a thaflu hadau ar lawr. Yn syth, daeth hwyaid o'r llyn a dechrau eu llowcio.

'Edrych, Miriam,' meddai Ffion. 'Mae'r un fawr frown 'na'n ddoniol, on'd yw hi? Wyt ti eisiau ei bwydo hi?'

Roedd honno'n hwyaden farus iawn, yn gwthio'r hwyaid eraill o'r ffordd er mwyn cael yr hadau i gyd. Doedd hi, Miriam, ddim yn meddwl ei bod hi'n ddoniol o gwbl: roedd hi'n codi arswyd arni.

'Yyych-a-fi!' sgrechiodd Miriam. 'Dw i'n casáu'r hen hwyaid mawr 'ma! Dw i ddim eisiau bod yn agos atyn nhw.'

'Beth hoffet ti wneud, 'te, Miriam?' gofynnodd Mrs Williams. Roedd hi'n dechrau poeni braidd.

'Hoffwn i fynd i'r guddfan i weld yr adar gwyllt,' atebodd Miriam. 'Mae gweld adar o bell yn iawn, ac mae Mam wedi rhoi pâr o finocwlars i fi.'

Roedd rhaid bod yn dawel bach yn y guddfan rhag codi ofn ar yr adar. Eisteddodd Ffion, Mrs Williams a rhai o'r plant eraill ar stolion uchel. Aeth Miriam yn ei chadair olwyn at ffenest arbennig, codi ei binocwlars at ei llygaid a phwyso'i phenelinoedd ar silff fach. Roedd llawer o adar mawr a mân yn bwydo yn y mwd a'r dŵr bas. Ond hoff aderyn Miriam oedd y crëyr glas. Syllodd arno drwy'r binocwlars; roedd e'n goesau i gyd. Bob hyn a hyn, byddai'n plygu ei wddf hir ac yn gwthio'i big yn sydyn o dan y dŵr. Unwaith, tynnodd ei ben o'r dŵr ac roedd pysgodyn yn hongian o'i big!

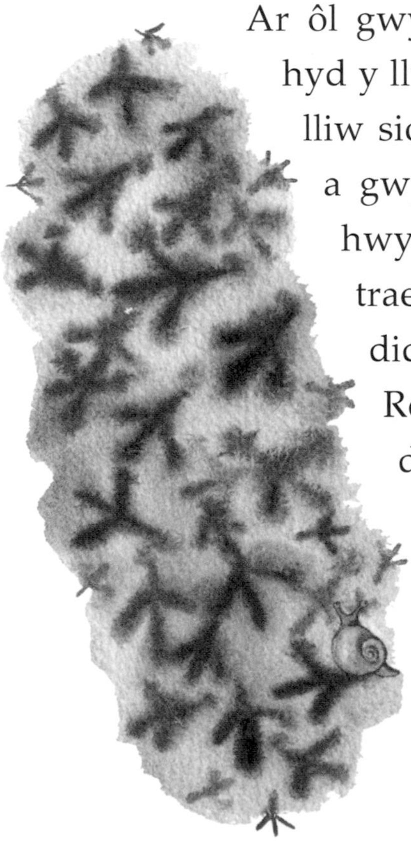

Ar ôl gwylio am sbel, aethon nhw yn eu blaenau ar hyd y llwybrau. Bu Ffion yn bwydo hwyaden frown, lliw siocled golau. Ond cadw draw wnaeth Miriam a gwylio o bell. Doedd hi'n dal ddim yn hoffi'r hwyaid. Ond roedd hi'n hoffi gweld olion eu traed. Roedden nhw'n gwneud patrymau diddorol yn y mwd.

Roedd byrddau gwybodaeth fan hyn a fan draw ar hyd y llwybr. Bu Miriam a Ffion yn darllen am yr Hwyaden Frychlyd ar un bwrdd.

'Mrs Williams,' meddai Miriam, 'mae'n dweud fan hyn fod pobl yn saethu'r hwyaid yma weithiau. Ddim yn fwriadol, ond ar ddamwain wrth hela adar eraill.'

'Mae saethu unrhyw aderyn yn beth ofnadwy i'w wneud,' meddai Mrs Williams. Ac roedd Miriam a Ffion yn cytuno.

Cyn hir, daethon nhw at adeilad lle roedden nhw'n gallu gwylio'r adar yn nofio ar lyn mawr. Roedd elyrch gwyn a du yno, a hwyaid o bob lliw a llun. Bu rhai o'r plant yn tynnu lluniau, ac eraill yn ysgrifennu disgrifiadau o'r adar.

Yn sydyn, chwarddodd Miriam lond ei bola.

'Beth wyt ti wedi'i weld, Miriam?' gofynnodd Mrs Williams.

'Hwyaden fach yn bwydo – mae hi'n rhoi ei phen o dan y dŵr ac yn codi'i phen-ôl yn yr awyr!'

'Edrych draw fan'na, 'te, Miriam,' meddai Ffion. 'Mae un hwyaden yn cysgu!'

A dyna lle roedd hwyaden â'i llygaid ar gau. Roedd hi wedi troi ei phen a gwthio'i phig i ganol ei phlu. Roedd hi'n edrych yn gysurus iawn.

'Dw i wedi gweld hwyaden smart iawn,' meddai Miriam. 'Honna draw fan 'na.'

Ac yn wir, roedd hi'n arbennig o hardd, gyda phen gwyrdd hyfryd a gwddf du. Roedd patrwm o blu du a gwyn mân drosti, a chynffon hardd gwyn a du.

Ymlaen â nhw wedyn i weld y fflamingos. Hoff liw Miriam oedd pinc, felly roedd hi wrth ei bodd; roedd y fflamingos yn binc – pinc tywyll, a phinc golau!

Roedd y fflamingos i gyd yn sefyll ar ryw ynys fach yng nghanol y dŵr. Bob hyn a hyn bydden nhw'n codi eu pigau du a gwneud sŵn mawr.

Roedd hi bron yn amser cinio erbyn hyn, a phawb yn dechrau gwneud eu ffordd yn ôl i'r fynedfa. Yn sydyn, daeth sawl hwyaden i'r llwybr o'u blaenau.

'Mae bwyd ar ôl yn y pecyn,' meddai Mrs Williams. 'Bwyda nhw, Miriam.'

Roedd Miriam braidd yn ansicr, ond fe gymerodd y pecyn serch hynny. Taflodd yr hadau'n agos at ei chadair olwyn. Daeth yr hwyaid ati a bwyta'n awchus. Rhai du, gyda stribed wen a phig coch oedden nhw. Gwyliodd Mrs Williams a Ffion yn nerfus. Oedd Miriam yn mynd i gael ofn a sgrechian eto? Ond dyma Miriam yn plygu i syllu arnyn nhw'n ofalus. Yna cododd ei phen a gwenu ar Ffion a Mrs Williams. Roedd hi wrth ei bodd!

Ar ôl i bawb fwyta eu brechdanau, aethon nhw i'r siop. Roedd Miriam newydd gael ei phen-blwydd, ac roedd hi wedi cael caniatâd arbennig i ddod â'i harian pen-blwydd i'w wario ar anrheg. Siop anrhegion adar oedd hi, gyda llyfrau am adar a llawer o luniau adar ar bob math o nwyddau gwahanol.

'Dw i'n gwybod beth hoffwn i ei gael,' meddai Miriam. 'Fflamingo pinc meddal i gofio am Penclacwydd. Fe fydd e'n edrych yn grêt yn fy stafell wely!'

'Felly rwyt ti wedi mwynhau? Ro'n i'n meddwl nad oeddet ti'n hoffi adar, Miriam,' meddai Mrs Williams yn chwareus.

'O ydw,' meddai Miriam, 'dw i'n dwlu arnyn nhw!'

*Elin Meek*

Hydref

# Sosej i Swper!

Diwrnod braf ym mis Hydref oedd hi. Roeddwn i'n teithio yn y car gyda Rhys a'i chwaer fach, Mali. Dad oedd yn gyrru.

'Ble ydyn ni'n mynd, Dad?' gofynnodd Rhys.

'Am dro i'r Bannau,' atebodd Dad.

'Hwrê! Glywaist ti hyn'na, Caradog?' meddai Rhys.

'Wyff! Wyff!' atebais i. Roedd Rhys a fi wrth ein bodd! Mae hi mor braf ar Fannau Brycheiniog. Gallwn ni redeg a neidio a chwarae pêl. Mae Rhys a fi wedi dringo i gopa Pen y Fan sawl gwaith.

O'r diwedd dyma ni'n cyrraedd. Parciodd Dad mewn cilfan barcio ar ochr y mynydd.

'Ble mae'r fan hufen iâ, Dad?' gofynnodd Mali. 'Mi hoffwn i gael hufen iâ.'

'Yn yr haf mae'r fan hufen iâ yma,' meddai Dad. 'Mae'r hydref wedi dod nawr, ac mae hi'n rhy oer i hufen iâ heddiw. Rhaid i ti wisgo het a sgarff, Mali. Mae'r gwynt yn gryf.'

Gwisgodd Mali ei het. Whwwsh! Yn sydyn, gafaelodd y gwynt yn sgarff Mali a'i chipio i ffwrdd. 'Dad! Dad!' gwaeddodd Mali, 'dw i wedi colli fy sgarff!' Dechreuodd hi grio.

Fel fflach, dyma fi'n rhedeg ar ôl y sgarff ac yn ei dal rhwng fy nannedd a dod â hi'n ôl at Mali. 'Da iawn, Caradog,' meddai Dad gan chwerthin. Roedd Mali'n gwenu hefyd nawr. 'Caradog,' meddai Dad eto, 'os wyt ti'n gi da, fydd dim rhaid i ti fynd ar dennyn heddiw.'

'Wyff! Wyff!' Dw i wrth fy modd yn cael rhedeg yn rhydd.

Dechreuon ni gerdded, gan ddilyn nant fach. Roedd y gwair a'r rhedyn yn dechrau troi'n frown oherwydd bod y gaeaf ar ei ffordd. Ond roedd hi'n ddiwrnod braf i fynd am dro. Roedd Dad a Rhys yn cario bagiau ar eu cefnau. Glas tywyll oedd bag Dad, ond roedd gan Rhys fag coch a glas a melyn. Ym mag Dad roedd brechdanau iddo ef a Mali; roedd Rhys yn cario'i frechdanau ei hun a bisgedi siâp asgwrn i fi. Mmm! Dw i'n hoffi bisgedi siâp asgwrn. Roedd Rhys yn cario barcud hefyd.

'Edrych ar y cymylau'n rhuthro trwy'r awyr, Mali,' meddai Dad. 'Beth am hedfan dy farcud, Rhys?'

Syniad da! Whiii! Rhedodd Rhys, a chododd y barcud i'r awyr. Rhedais innau ar ei ôl. Roedd y gwynt yn chwipio fy nghlustiau. Am hwyl! Dyma ni'n dau yn rhedeg a rhedeg, a'r barcud coch a melyn yn hedfan y tu ôl i ni.

'Rhys!' galwodd Dad yn sydyn. 'Gwylia'r merlod! Paid â'u dychryn nhw!'

Ond roedd hi'n rhy hwyr! Roedd Rhys yn edrych ar y barcud; doedd e ddim wedi gweld y merlod. Tri merlyn gwyn ac un ebol oedd yn pori ar y gwair garw. Stopiodd Rhys yn sydyn a disgynnodd y barcud i'r llawr. Dychrynodd y merlod a rhedodd tri ohonyn nhw i ffwrdd, ond safodd y march ei dir. Dyma fe'n edrych yn gas ar Rhys ac yn gweryru. Roedd ei lygaid mawr yn pefrio a'i ffroenau'n chwythu. Grrr! Does neb yn cael bod yn gas wrth Rhys! Dechreuais i gyfarth. 'Wyff! Wyff! Wyff!'

‘Caradog!’ gwaeddodd Dad yn gas. ‘Paid â chyfarth ar y merlyn! Rwyt ti’n gi drwg! Os nad wyt ti’n bihafio dy hun, rhaid i ti fynd ar y tennyn!’

O na! Doeddwn i ddim eisiau mynd ar y tennyn! Cerddais yn ôl yn ufudd at Dad, a’m cynffon rhwng fy nghoesau. Ond roeddwn i’n edrych yn gas ar y merlyn. Ac roedd y merlyn yn edrych yn gas iawn arna i. Dw i ddim yn hoffi merlod â llygaid mawr cas!

‘Rydw i bron â llwgu!’ meddai Mali.

‘Eisteddwn ni fan hyn yn y cysgod a chael cinio,’ meddai Dad.

Eisteddon ni ar y glaswellt yng nghysgod carreg fawr.

Mmm! Roedd y picnic yn flasus. Brechdanau caws i Mali a Rhys, a’r bisgedi siâp asgwrn i fi. Dyma fi’n llowcio fy misgedi – ac wedyn ces i un o frechdanau Mali hefyd. Roedd Rhys a Mali a Dad yn yfed sudd oren, ond es i draw i’r nant i lowcio dŵr. Ar ôl cinio, roedd Mali wedi blino’n lân. Paciodd Dad bopeth oedd ar ôl yn ei fag ac yna meddai, ‘Mae Mali a fi’n mynd i orffwys am sbel. Cewch chi’ch dau chwarae pêl, ond peidiwch â chrwydro ymhell, cofiwch.’

Dw i wrth fy modd yn chwarae pêl gyda Rhys. Weithiau mae Rhys yn taflu’r bêl, a dw i’n ei dal yn fy ngheg. Weithiau mae e’n cicio’r bêl a dw i’n rhedeg ar ei hôl.

Ew! Cawson ni hwyl! Rhedais nes mod i wedi blino’n lân, a’m tafod yn hongian bron i’r ddaear! Yna dyma Rhys yn rhoi cic anferth i’r bêl.

Diflannodd y bêl i’r pellter ac i ffwrdd â fi ar ei hôl! Yn sydyn, stopiais i’n stond. Roedd merlyn o’m blaen – a dw i ddim yn hoffi merlod! Ond yr ebol bach oedd hwn, ac roedd e ar ei ben ei hun. Roedd e’n sownd yn y gors. Roedd e wedi suddo i mewn i’r mwd a doedd e ddim yn gallu symud!

Edrychais i'n ofalus ar yr ebol yn y gors. Beth wna i? meddyliais. Alla i ddim tynnu'r ebol allan fy hun. Rhaid i fi alw ar Dad a Rhys. Ond sut oedd galw Dad a Rhys draw fan hyn? Dyma fi'n dechrau cyfarth, 'Wyff! Wyff! Wyff!' Roedd Dad yn gweiddi, 'Caradog! Bydd dawel! Dere 'nôl ar unwaith!' Ond cyfarth yn uwch wnes i. 'Wyff! Wyff! Wyff!'

O'r diwedd daeth Rhys a Dad i weld beth oedd yn bod. 'Caradog!' meddai Dad yn gas. 'Rwyt ti'n gi drwg!'

Ond yna gwelodd Rhys yr ebol. 'Edrych, Dad. Mae'r ebol yn y gors,' meddai. 'Dydy e ddim yn gallu symud.'

Edrychodd Dad yn ofalus. 'Hmmm,' meddai, 'rhaid i ni gael rhaff. A rhaid i ni gael rhywun i'n helpu ni i dynnu'r ebol allan o'r gors.'

Wrth lwc, roedd ffôn symudol Dad yn ei boced. Ffoniodd Mr Jones y ffermwr.

'Mae ebol yn sownd yn y gors ar y mynydd,' meddai Dad. 'Allwch chi'n helpu ni i'w dynnu allan? Bydd angen rhaff.'

'Wrth gwrs,' meddai Mr Jones. 'Fe ddof fi ar unwaith.'

Ymhen dim amser cyrhaeddodd Mr Jones. Roedd rhaff ganddo yng nghefn ei gerbyd. Camodd i mewn i'r gors yn ofalus a chlymu'r rhaff am fol yr ebol.

'Paid â bod yn ofnus!' meddai Rhys wrth yr ebol.

Yna meddai Mr Jones: 'Nawr tynnwch!'

Dyma Mr Jones a Dad a Rhys yn tynnu a thynnu a THYNNU! Roeddwn i a Mali'n gwylio.

'Byddwch yn ofalus,' meddai Mali. 'Peidiwch â brifo'r ebol.'

O'r diwedd, roedd yr ebol yn rhydd o'r gors ac ar dir sych!

Tynnodd Mr Jones y rhaff oddi am ei fol a chododd yr ebol ar ei draed a charlamu i ffwrdd ar unwaith i gyfeiriad y merlod eraill. Roedd y merlyn mawr yn edrych arnon ni, ond roedd ei lygaid yn gyfeillgar nawr.

'Da iawn, Caradog,' meddai Dad. 'Roeddet ti wedi'n galw ni draw i helpu'r ebol. Rwyt ti'n gi da! Cei di sosej i swper heno!'

Mmm! Am ddiwrnod gwych! Mynd am dro, cael picnic, chwarae gyda Rhys ar y mynydd – ac yna mynd adre a chael sosej i swper! Mmmm! Dw i'n hoffi merlod nawr!

*Helen Emanuel Davies*

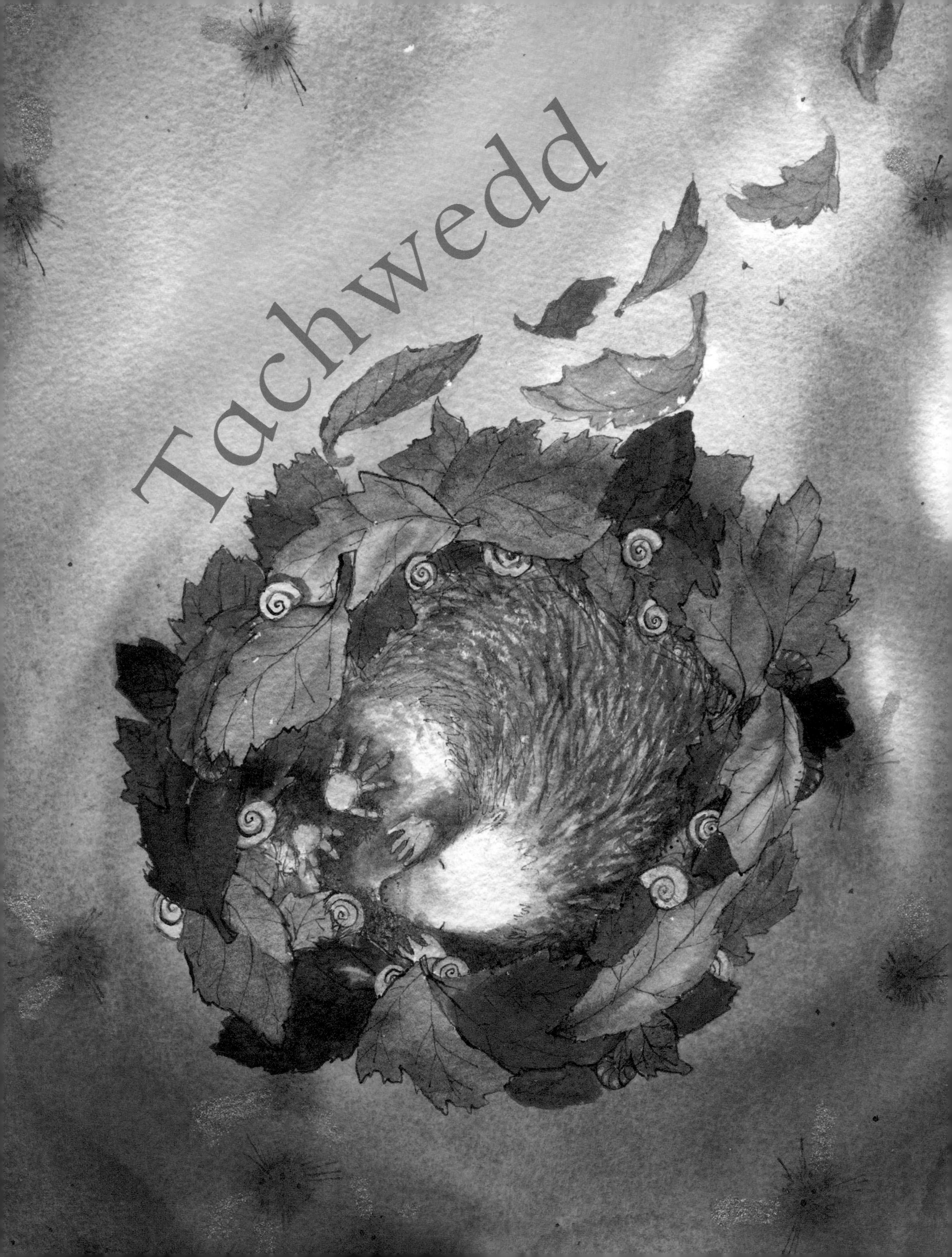
Tachwedd

# Croeso, Guto

Croeso, Guto, croeso eto,
croeso 'nôl i'th noson di;
croeso mawr i'r gadair freichiau,
cadair orau'n coelcerth ni.

Eistedd 'nôl, mwynha olygfa
lliwiau'r hydref uwch dy ben,
wrth i filiwn o ffrwydradau
blannu coedwig yn y nen.

Cofia, Guto, wythnos dwetha
doet ti'n ddim ond darnau mân
heb eu benthyg, dwyn na'u begian,
heb eu troi'n un arwr glân;

doet ti'n ddim ond trowsus tracsiwt,
siaced racs a chap tad-cu,
a dau hanner pâr o sgidiau,
un yn frown a'r llall yn ddu.

Erbyn heno rwyt ti'n gyfan
a thrwsiadus ar ben tân
fel y cawn dy chwythu eto'n
fil a mwy o ddarnau mân.

Dere 'nôl i'th barti, Guto,
flwyddyn nesaf atom ni,
ac fe roddwn unwaith eto
groeso cynnes iawn i ti!

# Y Trên Sgrech yn Ffair Aberteifi

Wedi dal y pysgod aur
(a'u cwympo!); wedi campau'r
gyrru mewn ceir bach gwirion
bwmp-ydi-lwmp heb un lôn;
wedi hoff liw'r candi fflos,
mae'n hwyr – ond mynnwn aros.

Rhwng siarad gwag a bragian,
y mae mwg ein sgyrsiau mân
yn wyn yn oerfel y nos,
oherwydd i ni aros
yn awchus am weld cychwyn
y reid olaf, waethaf un.

Nid reid y rhai iau yw hi,
ond reid i'r rhai â *hoodie*;
i'r rhai caled a'r cŵlaf,
rhai fel fi, ac arni af
yn foi mawr na fu fy mwy,
yn naw oed hen ofnadwy.

Ond wrth i'r chwiban ganu,
wrth i'r twnnel dirgel, du,
dyfnach na'r nos agosáu,
nid dyn ond crwt dw innau
â stumog igam-ogam;
nid boi mawr, ond babi MAAAAAAM!

# Sul y Cofio

Yn eu lifrai lliw, a weli
fois y pentre'n martsio'n gry'
er mwyn brwydro,
brwydro,
brwydro,
fel y dail drwy'r oerfel du?

Yn eu lifrai llwyd, a weli
fois y pentre fesul un
eto'n syrthio,
syrthio,
syrthio,
fel y dail o afael dyn?

# Gêm i Anifeiliaid

Mae'r Walabî a'r Sbringboc
a'r Ciwi'n well na ni
ar gaeau rygbi Tachwedd.
'*No Way!*' ddywedwn i!

Mae'r Walabî yn neidiwr
athletaidd, medrus, twt,
ond nid yw'n gallu codi
os sefwch ar ei gwt!

Mae'r Sbringboc yntau'n llamu
yn ysgafn droed a chwyrn,
ond nid yw'n rhedeg gystal
pan gydiwch yn ei gyrn!

Mewn *lineout* y mae'r Ciwi'n
aderyn digon llwm,
am nad yw'n gallu hedfan
yn uwch na phluen blwm!

Beth bynnag, mae creadur
cyffredin, bach, Cymraeg
yn sefyll yn eu herbyn,
a'i enw ydyw'r Ddraig!

# Coeden Tachwedd, Coeden Mai

Hen, hen wrach yw coeden Tachwedd,
mor esgyrnog,
finiog,
fain;
hen, hen wrach â'i mil o rychau
yn rhoi braw,
rhoi braw
i'r brain.

Ond pan ddaw mis Mai yn llawen
i bob cae
â'i swae
a'i swyn,
bydd y goeden eto'n denu,
bydd y wrach
yn ferch fach,
fwyn.

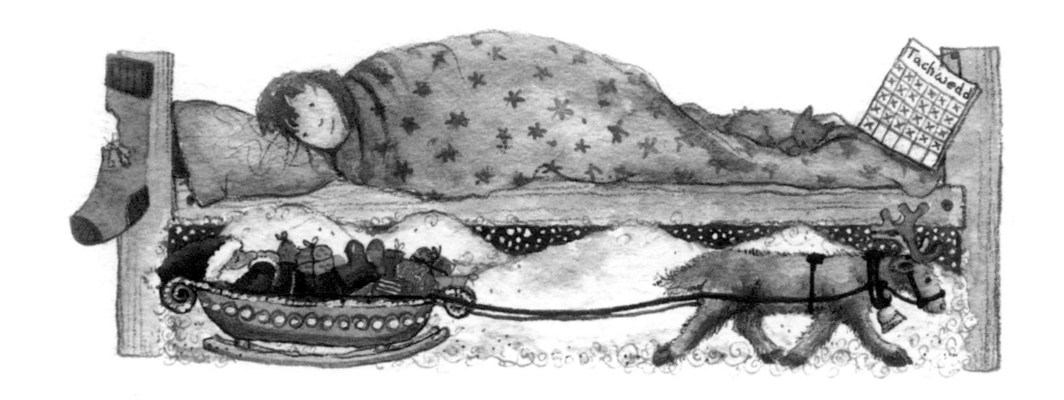


# Tachwedd 25

Cyn daw ef yn y cnawd ei hun, mae mis,
un mis maith, fy mhlentyn,
yn weddill o'r hen flwyddyn –
ond, wir, mae'n dod, er mwyn dyn!

***Ceri Wyn Jones***

# Rhagfyr

# Un Teulu Mawr

I dŷ Nan-nan y byddai Tudur yn mynd am de o'r ysgol bob dydd. Ond pan ddechreuodd Nan-nan gwyno mai ffaldi-ral ffôl oedd y Nadolig . . . a dweud nad oedd hi ddim am brynu coeden Nadolig smalio, heb sôn am un iawn, a dweud nad oedd hi am yrru'r un cerdyn Nadolig i neb, a dweud nad oedd hi ddim am wneud pwdin Nadolig na chacen Nadolig, a dweud mai gwastraff arian oedd anrhegion Nadolig . . . Wel, roedd hi'n bryd i Tudur fynd i rywle arall am de!

Anti Petra ac Anti Tania oedd yn rhedeg y Clwb Plant. Dwy chwaer ifanc, lawn hwyl oedden nhw, efo lot o liw haul a dannedd gwyn, gwyn. Roeddech chi angen sbectol sgio i sbio arnyn nhw. Dyna lle'r oedden nhw wrth y drws pan gyrhaeddodd Tudur a'r criw o'r ysgol am hanner awr wedi tri, yn canu:

'Pnawn da, blantos! Croeso i Glwb yr Andros! A chroeso arbennig o fawr a chynnes i Tudur!'

Gwenodd Tudur yn swil arnyn nhw. Oedd o wedi gwneud y peth iawn? Gâi o amser da yma efo'i ffrindiau?

'A heddiw,' meddai Anti Petra'n llon, 'pawb i nôl ffedog. Mae hi'n bryd dechrau ar yr addurniadau Nadolig!'

Aeth Anti Petra ac Anti Tania ati i ddangos sut i beintio sêr a chlychau efo'u dwylo. Erbyn i bawb orffen, roedd wal bella Clwb yr Andros fel un cerdyn Nadolig hir, lliwgar, yn aros i chi ei agor. Ac wedyn, ar ôl golchi dwylo a chael diod a bisged, eisteddodd y plant yn un rhes a daeth Anti Petra ac Anti Tania atyn nhw a gwenu fel giatiau ar bawb.

'Arwyddair y clwb ydi *Ti a'r Teulu*,' meddai Anti Petra wrth Tudur. 'Mae'r Clwb yn un teulu mawr. Pawb fel un teulu ac yn cael sbri gyda'n gilydd. Iawn?'

Dychmygodd Tudur ei Nan-nan yn rhoi ei dwylo o'r golwg mewn paent coch a glas a melyn ac wedyn yn peintio wal ei pharlwr efo nhw. NOT, meddyliodd.

'Nawr 'te,' aeth Anti Tania yn ei blaen, 'dydd Sadwrn nesa, ar gae pêl-droed yr ysgol, mi gawn ni gystadleuaeth sgorio goliau. Newid bach yn lle Ffair Nadolig!'

'Ies!' gwaeddodd yr hogiau.

‘Chi blant yn ergydio am y gôl,’ ychwanegodd Anti Petra, ’a phob Mam neu Dad yn gôli am dri munud am y tro. Hwyl ’ta be?’

Roedd hynna’n swnio’n ddigon o hwyl, meddyliodd Tudur. Edrychodd ar ei ffrindiau Marc ac Alex yn neidio i fyny ac i lawr yn dal dau fawd yn yr awyr. Roedd tadau’r ddau yn chwarae i dîm y pentre. Meddyliodd wedyn am ei dad ei hun oedd ar faglau’r funud hon ar ôl syrthio dros Google, y ci. Rhaid gofyn i Mam, meddyliodd.

Wrth gwrs, does yna byth amser da iawn i ofyn am ffafr fawr gan Mam. Penderfynodd Tudur ofyn ar ôl swper, tra oedd Dad yn darllen stori *Siôn Corn a’r Jiráff Gobeithiol* i Siwsi Gwen. Gwisgodd ei grys Man U gan obeithio y byddai Mam yn cymryd yr hint. Wedyn cynigiodd helpu i gario platiau i’r peiriant golchi llestri. Doedd hynny ddim yn hawdd pan ydach chi’n gwisgo stŷds!

‘Mam,’ mentrodd o’r diwedd, ‘wnei di fod yn gôli am dri munud – dim ond tri munud bach – i Glwb yr Andros ddydd Sadwrn nesa? Py . . . py . . . py-py – plîîîîs?’

Gwenodd ei fam yn annwyl iawn arno, a gwyro i afael amdano fo.

‘Fedra i ddim, siwgwr aur,’ meddai hi. ‘Sbia arna fi! Dw i’n disgwyl babi, tydw – brawd neu chwaer fach i ti a Siwsi Gwen.’

‘Ro’n i wedi anghofio,’ meddai Tudur. ‘Ond be ddeuda i wrth Anti Tania ac Anti Petra?’

‘Deud y gwna i helpu efo’r cŵn poeth a’r mins peis,’ meddai Mam. ‘A deud y bydda i’n siŵr o helpu efo’r gweithgaredd nesa. Wyt ti’n edrych ymlaen?’

‘Dim llawer. Fydd yna neb o’n tŷ ni yn y gôl, na fydd?’

'Dim at hynny, siŵr, y llyffant! At y babi!'

'Dwn i ddim.' Doedd Tudur ddim wedi meddwl fawr am y peth. '*Ti a'r teulu* ydi arwyddair y Clwb,' ychwanegodd gan syllu i fyw llygaid ei fam.

'Ac mi fydd y teulu yma'n cefnogi gant y cant,' atebodd hi, gan batio'i bol. 'Addo.'

Edrychodd Tudur yn iawn ar fol Mam am y tro cyntaf ers tro. Erbyn gweld, roedd hi wedi mynd yn dew hefyd.

Bu diwrnod Sgorio'n llwyddiant mawr. Diwrnod braf, oer, a'r plant yn lliwgar yn eu menig a'u sgarffiau, a'r bryniau o gwmpas yn wyn dan eira. Sgoriodd Tudur dair gôl bril a gwerthodd ei fam bum deg a saith o fins peis! Cyn diwedd y pnawn roedd criw brwd o blant a rhieni wedi casglu o gwmpas Anti Tania ac Anti Petra i drefnu'r hwyl nesaf.

'Wel?' holodd Mam amser swper. 'Be mae Clwb yr Andros wedi'i drefnu at yr wythnos nesa? Noson Garolau, gobeithio!'

'Nage,' meddai Tudur. 'Mae'r piano wedi torri. Rhywbeth i neud efo hŵla, i'n hatgoffa am bobol ardal Môr y De sy'n dathlu'r Nadolig gyda dawns. Ddwedes i y bydde popeth yn iawn.' A chododd ei ddau fawd yn yr awyr.

'Iawn?' llefodd Mam. 'Oes gen ti syniad be ydi dawnsio hŵla? Gwisgo top bicini a sgert wellt, a dawnsio o gwmpas fel wobli-jeli.'

'Anfarwol!' meddai Dad.

'Mi gei di anfarwol,' meddai Mam. 'Dw i'n methu aros i dy weld di mewn bicini, Aled. Mi fydd dy goes di wedi mendio erbyn hynny.'

Edrychodd Tudur yn syn ar ei fam ac yna ar ei dad. Doedd hi erioed o ddifri? Dad mewn bicini?

'Cant y cant,' meddai Mam yn gadarn heb bwt o wên. 'Y teulu. Cofio?'

Cofio? Oedd, roedd Tudur yn cofio. Sut gallai o anghofio a'i deulu fo'i hun yn mynd yn fwy bob dydd? Edrychodd ar fol Mam ac ysgwyd ei ben. Ar ôl y Dolig roedd y babi 'ma i fod i gyrraedd? Byddai Mam wedi byrstio cyn hynny!

Noson y dawnsio hŵla, aeth Tudur a Mam ati'n gynnar i addurno Dad. Roedd yn fwy o hwyl nag addurno'r goeden Nadolig!

Roedd Mam wedi prynu hen ficini blodeuog iddo yn Oxfam. Estynnodd Dad ddau danjerîn mawr o'r bowlen ffrwythau a'u rhoi yn y top, ond roeddan nhw'n popian allan bob tro roedd o'n symud! Doedd dim posib gwneud dim efo'r coesau blewog a'r mwstás du, ond rhoddodd Mam dinsel rownd ei glustiau. Anti Tania ac Anti Petra a phlant y Clwb oedd wedi gwneud y sgertiau gwellt ar gyfer y dawnswyr. Bu'n rhaid iddyn nhw wneud un arbennig o fawr ar gyfer Dad. Roedd ei fol o bron cymaint ag un Mam!

'Wel wir, Aled,' meddai Mam ar ôl stryffaglu i gau'r sgert amdano. 'Del! Lipstic coch rŵan!' Ond cyn iddi lwyddo i ddod o hyd i'r lipstic yn ei bag roedd y ffôn wedi canu. Dad atebodd.

'Wel helô, noswaith dda! Dyma'r parlwr hŵla!' meddai gan wneud rhyw jig fach o flaen Mam a Tudur.

Ond yna newidiodd ei lais ac eisteddodd yn blwmp ar y soffa. 'Na,' meddai ac wedyn 'Pryd?' ac wedyn 'Lle?' Ac yna 'Dw i ar fy ffordd.'

'Nan-nan wedi syrthio,' meddai cyn i Tudur na Mam gael cyfle i holi. 'Dw i'n mynd i'r ysbyty.'

'Well i ti newid gynta,' meddai Mam efo gwên fach gam.

'Ond Dad!' protestiodd Tudur. 'Fedri di ddim mynd. Beth am y dawnsio hŵla?'

'Teulu gynta,' meddai Mam yn dawel. 'Cofio?'

'Mi fydda i yno ar gyfer y ddrama Dolig,' addawodd Dad. 'Gaddo, gaddo, gaddo, Tuds.'

'Fi ydi Joseff,' meddai Tudur yn drist wrth i Dad lamu i fyny'r grisiau a'i sgert wellt yn swishian o'i gwmpas. 'Nos Wenar nesa! Cofia ddeud wrth Nan-nan.'

Cyn i'r ddrama Nadolig ddechrau nos Wener, bu Anti Petra ac Anti Tania yn helpu'r plant i gyd i baratoi hambwrdd ar gyfer eu teuluoedd. Cwpanau te, mygiau o ddiod oren a phlataid o bethau blasus i'w bwyta. Roedd ambell hambwrdd anferth i deuluoedd mawr a rhai bach twt i un neu ddau.

Edrychodd Tudur ar yr hambwrdd gwag o'i flaen ac ochneidio. Doedd ganddo ddim syniad beth i'w roi arno. Amser brecwast, cyn cychwyn i'r ysgol y diwrnod hwnnw, roedd Mam wedi dechrau gwneud stumiau, a gafael yn ei bol a thuchan. Roedd Dad wedi sibrwd 'Ydi'r babi'n dod?' ac roedd Mam wedi cau ei llygaid yn lle ateb a phlannu Siwsi Gwen o flaen y teledu i wylio DVD. Yn y diwedd, roedd Tudur wedi gorfod mynd â thywel tamp o'r stafell ymolchi a gwisgo'i byjamas fel gwisg Joseff.

'Felly,' esboniodd Tudur wrth Anti Petra. 'Falle na fydd neb o 'nheulu i yma heno 'ma. Falle nad oes angen hambwrdd o gwbwl.'

Roedd Anti Tania wedi bod yn gwrando ar Tudur hefyd, bob yn ail ag edrych drwy'r llenni ar y gynulleidfa'n cyrraedd. Goleuodd ei llygaid yn sydyn a throdd at Tudur yn gyffro i gyd. Brysiodd yntau ati a sbecian drwy'r llenni ag un llygad.

Dacw Dad! Roedd Siwsi Gwen ar ei ysgwyddau, yn bownsio i fyny ac i lawr ac yn chwerthin wrth weld y sêr ar y to. Ac roedd Dad yn gwthio rhywun. Nan-nan mewn cadair olwyn – ei braich mewn plaster ond gwên lond ei hwyneb. Ac yna, o'r tu ôl iddyn nhw, daeth Mam. Ac nid dim ond Mam. Yn ei breichiau roedd hi'n cario bwndel bach mewn siôl fawr wen.

Y babi newydd!

'Brysia i newid efo fi rŵan, Tudur,' meddai Anti Petra. 'Mi gaiff Anti Tania sêt gyfforddus i dy fam. Mae pawb yn barod!'

Ac mi roedd pawb yn barod! Ar ôl diffodd y golau mawr ac i fiwsig carolau ddechrau canu'n dawel drwy'r neuadd, daeth hud y Nadolig i Glwb yr Andros. Gwyliodd y gynulleidfa Mair a Joseff yn cychwyn ar eu taith o ddrws cefn y neuadd i Fethlehem. Gwelsant ŵr y llety'n dweud, 'Does yna ddim lle. Sori.' A gwraig gŵr y llety wedyn yn rhedeg ar eu hôl i'r stryd ac yn dweud, 'Croeso i chi gysgu yn y stabl'.

Ac ar ôl i Mair a Joseff a'r asyn gyrraedd y stabl a setlo am y nos, gwelsant Mair yn rhoi hanner sgrech ac yn dweud wrth Joseff: 'Does gen i ddim babi!'

'Dim babi?' atebodd Joseff gan chwilio am Anti Petra neu Anti Tania oedd yn sefyll ger y llwyfan wedi eu gwisgo fel corachod bach Siôn Corn. Doedd gan yr un ohonyn nhw fabi dol. Roedden nhw wedi anghofio bod angen babi. Ond twt, doedd dim gwahaniaeth, nac oedd. Gwenodd y ddwy yn siriol ar Joseff a Mair.

Ond i Mair, roedd gwahaniaeth mawr. Doedd hi ddim yn gallu bod yn fam y babi os nad oedd yna fabi. Eisteddodd ar y gadair wrth y preseb a dechrau snwffian. Doedd dim pwrpas i'r angylion na'r bugeiliaid na'r doethion os nad oedd yna fabi. Doedd dim pwrpas i'r hanes o gwbwl. Dechreuodd Mair feichio crio. Roedd y ddrama ar stop!

Edrychodd Joseff ar y gynulleidfa. Gwelodd yr holl famau a thadau a neiniau a ffrindiau oedd wedi dod i weld y ddrama Nadolig. A'r holl frodyr a chwiorydd bach. Yn eu canol nhw, yn llenwi rhes gyfan, bron, roedd ei deulu o ei hun.

Cerddodd draw atyn nhw a sefyll o flaen ei fam. Gwenodd arni a mentro gofyn eto, am ffafr fawr iawn.

'Ga i fenthyg ein babi newydd ni?'

Cododd Mam a gosod y babi newydd yn ddiogel ym mreichiau Tudur. 'Dalia fo'n dynn,' meddai hi. 'A tyrd â fo'n ôl ar y diwedd.'

Trodd Tudur a cherdded yn ofalus iawn at Mair ar y llwyfan efo'r babi. Roedd ganddyn nhw ddrama'r Nadolig eto. Ac roeddan nhw'n un teulu mawr efo'i gilydd. Cant y cant.

Nadolig Llawen!

*Meinir Pierce Jones*

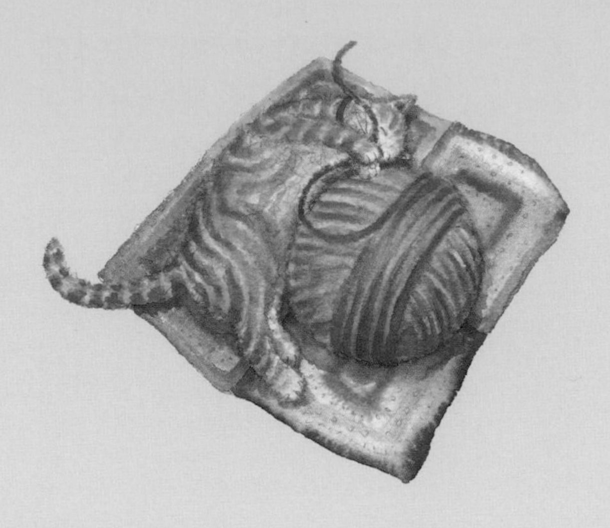

Cyhoeddwyd yn 2007 gan Wasg Gomer, Llandysul, Ceredigion, SA44 4JL
www.gomer.co.uk

ISBN 978 1 84323 524 8



Dymuna'r cyhoeddwyr gydnabod cymorth Cyngor Llyfrau Cymru.

Argraffwyd a rhwymwyd yng Nghymru gan Wasg Gomer, Llandysul, Ceredigion.